日本人が知らない最先端の「世界史」

福井義高

まえがき

日本の近現代史をめぐる議論が、あまりにも日本中心であること。これが本書執筆の動機である。

比較的自立した歴史を歩んできた江戸時代までと異なり、明治以降の日本は、帝国主義全盛の世界に放り込まれ、日露戦争以降、列強の一員と認められるようにはなったものの、米英ソのような本物の大帝国には遠く及ばない、二流の地域大国に過ぎなかった。そのなかで我が国は、唯一の超大国のジュニア・パートナーあるいは「属国」である今日とは違い、独立独歩のプレーヤーとして行動し、結果的に大敗北を喫したのである。

にもかかわらず、歴史学者を含め知識人の間で根強い、戦前日本暗黒史観によれば、軍国日本が東アジアの平和な秩序を搔き乱し、米英中ソを振り回した挙げ句、最終的に武力制覇を意図したゆえ世界大戦となったとされる。悪役ながら、まるで世界史が、少なくともアジアでは、日本を中心に展開したかのようである。

『続「甘え」の構造』で土居健郎が指摘しているように、敗戦後の日本人を深いところで衝き動かしていたのは、「まず記憶に新しい戦争体験の恐怖であり、次に同じことが二度と繰返し起きてほしくないという恐怖であり、また新たに日本に君臨することになった連合軍司令部に対する恐怖で」あった。暗黒史観は「実は何かに対する迎合であり、それも結局は恐怖の然らしむるところ」であって、「今も、敗戦のショックによるストレスから国民が完全には自由になっていない」。

暗黒史観に対抗する側も、過去の日本への評価が違うだけで、日本中心の議論に終始しがちであることには変わりない。そのため、歴史認識をめぐる議論に、残念ながら日本の来し方に決定的影響をあたえた当時の世界政治に関する海外の研究成果が、あまり反映されない状態が続いている。

本書では、敗戦がもたらした言葉にならない恐怖を克服し、歴史認識の鎖国状態を打破すべく、近代の世界史を考えるうえで、重要なしかし我が国では見過ごされがちな論点を、日本に直接関係ないものも含め、取り上げていく。

読みやすさを優先し、本文に注などは付していない。ただし、参照した文献は本文に明記したうえで、巻末に比較的詳細な文献一覧を載せた。孫引きは避け、原典が手元になく、インターネットでもアクセスできない場合は、青山学院大学図書館を通じて、国内外の機関から該当箇所のコピーを入手した。日本語で書かれた研究業績への言及が少ないのは、ひとえに筆者の不勉強による。

外国語文献から引用する際は、原則として、拙訳を用いた。既存訳を用いた場合に限り、本文に訳者名を明記した。引用中、［　］で括った部分は、文意を明確にするため、筆者が補った箇所である。中国人を除く外国人名は、初出は姓名、それ以降は姓のみで表記した。日本語文献引用の際、固有名詞は本文と表記を統一した。

本書は、第7章を除き、筆者が月刊誌『正論』（産経新聞社）で連載中の「世界の『歴史』最前線」既掲載分の一部に、加筆修正したものである。連載から本書上梓に至るまで、西尾幹二電気通信大名誉教授をはじめ、多くの方々に助けていただいた。この場を借りて感謝申し上げる。

平成二十八年六月吉日　両親に

文庫版刊行に寄せて

文庫化に際し、若干の訂正・字句修正のほか、近年の政治状況に関する記述を単行本刊行後の変化を反映したものに改めたけれども、内容には一切手を加えていない。ただし、あとがきに代えて、本書及び続編『日本人が知らない最先端の「世界史」2』のもととなった月刊誌『正論』連載のなかから、「まえがき」でも述べた歴史認識の鎖国状態に関連する単行本未収録の一編を加筆修正のうえ、第14章として加えた。

令和二年七月吉日

福井(ふくい) 義高(よしたか)

目次

まえがき……3

Ⅰ 「歴史修正主義」論争の正体

第1章 日独同罪論をめぐって

日独同罪論の落とし穴……16
日本の過去と比較すべきは……20

第2章 歴史認識は処罰の対象となるのか

ヘイトスピーチの規制をめぐる各国の議論……26
ホロコースト否定論者を対象とするドイツ……29
批判を許さないニュルンベルク裁判史観の絶対化……32
冷戦後の思想統制強化……36
なぜソルジェニーツィンが批判の対象なのか……39

第3章　なぜ「歴史修正主義」は非難されるのか

二度の大戦と歴史認識……43
第一次大戦中の英米によるプロパガンダ……44
第一次大戦後の修正主義……48
第二次大戦後の修正主義……51
なぜ、第二次大戦後の修正主義がタブーとなったのか……54
第一次大戦責任論の度重なる逆転……58

第4章　チャンドラ・ボースは英雄か傀儡（かいらい）か？

歴史戦争の同盟国……61
ボース再考……63
英軍の主力を占めていたインド兵……66
日本艇に乗り移った時のボースの感慨……70
ボースの人柄に魅せられた東條（とうじょう）首相……72
インパール作戦は、はたして愚かな戦いだったのか……75

日本の敗戦後に実現した「チェロ・デリー」……78
インド独立をもたらした聖者と戦士……81

II 「コミンテルンの陰謀」説の真偽

第5章 「コミンテルンの陰謀」は存在したか

「コミンテルン陰謀史観」をめぐる議論……86
レーニンの世界戦略を示した「基本準則」……89
後継者スターリンの雌伏期……93
スターリンに翻弄される日本……95
スターリンの高笑い……100
戦争挑発に舵を切るスターリン……102
ノモンハン・張鼓峰におけるスターリンの謀略……107
ヒトラーをけしかけるスターリン……112
スターリンの大誤算……118

第6章　過去を直視しない人々

過去を直視しないのは誰か……120
戦後正統史観とスターリンの呪縛（じゅばく）……125
反共リベラルが正統だった時代……129
反共主義に対抗する「修正主義者」の台頭……133

第7章　ヴェノナの衝撃

ヴェノナ文書とは。そして何がわかったか……138
原爆をめぐるスパイ活動……143
米国政府高官のスパイ活動……148
日本との関わり――アメラジア事件……153
歴史再検討を迫るヴェノナ文書……155

第8章　それでも「スパイ」と認めない人々

「ザ・クエスチョン」……159

開き直る「修正主義者」たち……161
「ヴァシリエフ・ノート」の公開が意味するもの……165
「ホワイト＝スパイ」説を、どうしても認めない人々……168
動機純粋論によるホワイト擁護……173
ホワイトによる対日工作の実像……175
「ヴァシリエフ・ノート」を前にした反・反共主義者たち……180
研究者の保身の論理と心理……182

III 大衆と知識人

第9章 大衆と知識人は、どちらが危険か

欧州における反EU・反移民勢力の躍進……186
穏当な「極右」政党の主張……190
実行がともなわない既成の保守政治家……194
好戦的なのは大衆ではない……195
自己欺瞞に長けたエリート……198

秘密投票は自由の最後の砦(とりで)……201

第10章　ナチスを支持したのは、はたして誰か

丸山真男(まるやままさお)の日本ファシズム論……205
下層中流階層に罪をなすりつける人々……210
では、どの階層がヒトラーを支持したのか……212
エリートも労働者も支持した国民政党……216
なぜ「下層中流階級」に対する偏見が広まったのか……220

Ⅳ　中国共産党政権誕生の真実

第11章　毛沢東はスターリンの傀儡(かいらい)だった

明らかにされたスターリンの決定的貢献……224
中国に「国民国家」という概念は存在しない……227
佐々木更三(ささきこうぞう)の謝罪発言に対する毛沢東の返答……230

「兄」スターリンと「弟」毛沢東……233

第12章 中国共産党の「救世主」だった日本

なぜ日本が「救世主」なのか……237
青息吐息の共産党……240
西安(せいあん)事件から支那事変へ……245
近衛首相の決定的失策……250
汪兆銘・南京政府の闇……254

第13章 中国共産党政権の誕生に果たした米国の役割

策士、策に溺れた英国……258
米政権内で暗躍するソ連スパイ……261
縄張り争いに明け暮れる米政府……264
中国共産党と米陸軍との不思議な「蜜月」……266
日米ソ合作の中国共産党王朝……268

第14章　これでいいのか、日本の近現代史研究

日本の近現代史研究者への「ザ・クエスチョン」……273
政治的・軍事的才能に溢れたトロツキー？……274
トロツキーがレーニンの後継者だったら？……277
ホロドモールはただの凶作？……281
戦前日本共産党は反戦平和の使徒？……284
「美しい」物語を否定する「醜い」事実……288

主な参照文献……304

I

「歴史修正主義」論争の正体

第1章　日独同罪論をめぐって

特異かつ比較を絶する事象であるホロコーストを、いかなるかたちであれ他のテーマと同列に置くことは許されない

アンゲラ・メルケル

日独同罪論の落とし穴

中韓の対日歴史攻撃は昨今ますます激しくなり、「南京(ナンキン)大虐殺」や「慰安婦強制連行」を、ホロコーストと呼ばれるナチスによるユダヤ人虐殺に匹敵する反人道的犯罪であると喧伝(けんでん)している。この日独同罪論には、当然のようにドイツに比べ日本の反省が「不十分だ」という非難が伴っている。

なお、ドイツでは「ナチ」（Nazi）という表現は蔑称あるいは俗語として、基本的に公的文書では用いられないし、学術書でも避けられている。ただし、日本では戦前の同盟国だった時代から、蔑称という意識なく一般に用いられていたので、本書でも「ナチ（ス）」や「ナチズム」を用いることとする。

さて、日独同罪論は、日本が反論しなければならないのはもちろんのこと、そもそもホロコーストの唯一性という欧米及びイスラエルにおける正統的歴史認識に挑戦する側面を持っており、とくにドイツ自身、米国及びイスラエルにとって容認できない議論に思える。

ドイツ統一から10年ほど経った前世紀の終わりに、当時のドイツ外相ヨシュカ・フィッシャーは、フランスの哲学者ベルナール＝アンリ・レヴィにこう語っている（『フランクフルター・アルゲマイネ・ツァイトゥング』１９９９年2月18日付）。

　すべての民主国家はひとつの基礎、立脚点を持っている。フランスには１７８９年。アメリカ合衆国には独立宣言。スペインにはスペイン内戦。そして、ドイツにはアウシュヴィッツ。それはアウシュヴィッツ以外ではありえない。私の見るところ、アウシュヴィッツの記憶、「ノーモア（Nie mehr）アウシュヴィッツ」だけが、この新しいベルリン共和国のただ一つの基盤であり得る。

アウシュヴィッツに象徴されるホロコーストはドイツ国民の原罪であり、フィッシャー外相が1999年3月、自ら所属する緑の党の大会演説で強調しているように、「アウシュヴィッツは比較を絶する（unvergleichbar）」のだ。

当事者のドイツやイスラエルのみならず、米国でもホロコーストは、ナチス以前の欧州その他でのユダヤ人迫害や他の民族虐殺とは区別された、独自のカテゴリーとして扱われている。他国で起こった民族迫害の一例ではなく、人類史上類例のない絶対悪と認識されているからこそ、直接の当事者でないにもかかわらず、首都ワシントンのホロコースト記念博物館をはじめ、米国中に幾多のメモリアルが作られ、学校教育でも重視されている。

ドイツのエジプト学者で一神教の歴史に造詣（ぞうけい）の深いヤン・アスマン教授の言を借りれば、過去2000年キリストの死がそうであったように、「今後1000年、ホロコーストはグローバルな記憶の絶対的中心要素であり続けるだろう」（『FOCUS』2001年第16号）。

ホロコーストの唯一性を前提にすると、ドイツと比較して日本の謝罪が不十分であるというような議論は、瀆神(とくしん)行為とすらいえる。なぜなら、ホロコーストと日本の通例の戦争犯罪を比べることは、比較を絶するはずの絶対悪を相対化することを意味するからだ。実際、連合軍の戦争犯罪や非人道的行為とナチスのユダヤ人迫害を比較し、相対化することは、ホロコーストを「無害化」(verharmlosen)するとして、ドイツでは厳しく批判される。他の欧州諸国や米国でも同様である。この点については次章で詳しく述べる。

日本の反省の足りなさをまことしやかに批判するドイツ人も一部に存在する。しかし、ドイツ人がホロコーストを起こした過去に真摯(しんし)に向き合っているのであれば、他人が反省しようがしまいが、本来、関係ないはずである。

日独比較論で悦に入っている一部ドイツ人は、ドイツが国際社会に受け入れられる前提となっている、絶対悪あるいは原罪としてのホロコーストという歴史認識を否定したいのだろうか。中韓の安易な日独比較論は、今日の国際的コンセンサスから見れば、ホロコーストを無害化する危険な主張なのである。

日本の過去と比較すべきは

犠牲者の数で上回るソ連や中国を中心とした共産主義の暴虐との比較可能性、さらには、そもそも神ならぬ人間に絶対善がありえないように、比較を絶する絶対悪もないという考え方から、ホロコーストの唯一性を肯んじない立場もある。

共産主義とナチズムの比較可能性をめぐっては、ドイツでも1980年代に「歴史家論争」(Historikerstreit)が繰り広げられた。前述のアスマン教授も、ホロコーストの唯一性と比較不能性という認識に批判的であるけれども、「歴史家論争」後、ホロコーストの唯一性というコンセンサスは、ドイツ国内でますます強固となった観がある。

フランスにおいても、1997年に出版された、著名な研究者が集い、共産主義の犯罪を詳細に記述した『共産主義黒書』で、編著者のステファヌ・クルトワが、共産主義の階級論に基づく虐殺を、ナチズムの人種論に基づく虐殺と比較すべき人道に対する罪と主張したことから、次章で述べるように、政界を巻き込む大論争となった。ただし、結局のところ、フランスでも、ホロコーストの唯一性が再確認された観がある。

しかし、仮にホロコーストの唯一性を前提としなくても、先に指摘した日独同罪論の危険性という結論は変わらない。中ソ共産党の犯罪と比べるならともかく、仮に「南京大虐殺」や「慰安婦強制連行」に関する中韓の主張が、おおむね真実だったとしても、ホロコーストとは質量ともにスケールが違い過ぎる。

そもそも、日本支配下の満洲や朝鮮半島では、中国人と朝鮮人の人口が大幅に増加している。日中戦争における日本占領地域では、たとえ「傀儡（かいらい）」であったにしても、中国人首班の政権が樹立された。この日本と、組織的追放あるいは殺害によって、支配地域内のユダヤ人を、ほぼ全面的に「除去」したナチス・ドイツを同一視することは、ホロコーストの極端な「無害化」といわざるをえない。ドイツが「悪魔」であろうと、稀（まれ）に見る「凶悪犯」であろうと、いずれにせよ日本という「コソ泥」とは比較にならない。

実は、それは東京裁判史観でもある。国際法学者入江啓四郎（「戦争犯罪」田岡良一編『国際法国際政治事典』）も指摘しているように、ホロコーストが焦点となったニュルンベルク裁判とは違って、東京裁判では「反人道罪は、名目的に掲げられているだけで、両罪が併記された場合、実質的には通例の戦争犯罪だけであ」った。

東京裁判で死刑となったのは、その判断の当否はともかく、通例の戦争犯罪に責任があるとされた7人だけである。一方、ニュルンベルク裁判では、戦争遂行に関しても、ユダヤ人迫害に関しても、なんら責任ある地位についておらず、ナチス内でも孤立していたユリウス・シュトライヒャーが、その過激な反ユダヤ言論活動が反人道罪に当たるとして、死刑となっている。つまり、絶対悪を称揚する「ヘイトスピーチ」(hate speech)を理由に、処刑されたのである。

今日の米国において、第二次大戦の戦勝記念といえば、五月の対独戦勝利が中心で、八月の対日戦勝利は脇に追いやられている。これは、絶対悪ドイツと通常の敵に過ぎなかった日本という、戦勝国側の歴史認識を表わしているといってよい。絶対悪であるナチス・ドイツを打倒した「正(聖)戦」という教義を維持するためには、戦勝国にとっても、日独の質的違いという認識が必要となる。

2005年5月8日の対独戦勝利60周年に際し、ボストン・グローブ紙(当時はニューヨーク・タイムズ社傘下)に掲載された「良き戦争はどれほどよかったか」で、ジェフリー・ウィートクロフトは、もともと、米国の主戦場は太平洋、つまり主敵は日本であったにもかかわらず、今日ではもっぱら対独勝利が強調されるのは、対独戦に比べ、太平洋での戦いにおける米国の道徳的優位性がかなり曖昧であったためとする。もし「真に邪悪な体制」(purely evil regime) というものが存在するとすれば、それはナチス・ドイツであって、日独には質的に違いがあり、対日戦は通常の帝国主義戦争であったとし、米軍が日本兵に投降を許さず、「玉砕」を強いたことにまで言及している。

こうした、ある意味、東京裁判史観を相対化する見方を、賛否は別にして、リベラル有力紙が戦勝記念日にあえて掲載するほど、米国内における対日戦をめぐる議論は、客観的で冷静なものになっている。

一方、当事者がほとんど鬼籍に入り、中東軍事介入泥沼化で厭戦気分が広がったこともあって、欧州戦線で、ドイツを東側から攻めたソ連兵が、略奪と強姦を繰り返したのに対し、西側から攻めた米兵は、解放者として歓迎され、規律正しく行動したという、従来の第二次大戦「正史」も見直され始めた。ソ連軍同様、米軍も略奪に加え、ドイツ人女性を強姦しながら進軍していたことなど、これまで米国でタブーとされてきた、米兵の狼藉ぶりを明らかにする書籍が、次々と刊行されたのだ (ジャイルズ・マクドノー『ドイツ崩壊後』、ロバート・リリー『力ずくで』)。

だからといって、対日戦と違い、対独戦を相対化するような論説が、米国の主流メディアに取り上げられることなど考えられない。米軍の行動に問題があったとしても、ナチス・ドイツのような絶対悪と比較することは許されないのである。

中国や韓国の政治家や研究者が、日本の通例の戦争犯罪や植民地支配を、それと同質の英米仏など連合国の所業と比較して、日本特有の問題点を指摘するのであれば、中韓に批判的な日本人といえども、耳を傾けるべきであろう。

それに対し、帝国日本の戦争遂行や植民地支配をホロコーストと同一視することは、日本人にとって許容できないのみならず、ホロコースト絶対悪論に立つ、イスラエルや欧米諸国にとっても受け入れられない主張であろう。

ドイツのアンゲラ・メルケル首相は、2014年7月の訪中時、過去に向き合うドイツに対し、反省しない日本という、中国側の主張に乗らず、習近平（しゅうきんぺい）国家主席が同年3月にドイツを訪れた際も、ホロコースト記念碑視察の打診を断った。独首相が、日中の歴史問題で慎重に対処しているのは、「日中双方と経済の結びつきが強いドイツにとって……一方への『肩入れ』を避けたい」（『朝日新聞』2014年7月8日付朝刊）からだけではない。経済問題以上に、日独同罪論に依拠する「反省するドイツ、反省しない日本」という主張が、ホロコースト相対化に直結する、ドイツにとって政治的に危険な議論であることを理解しているからだと思われる。

スターリンの犯罪との比較すら、欧米では問題視されるなか、中韓のみならず、日本の自称リベラルにも見受けられる日独同罪論者は、欧米で極右視されかねない、ホロコーストを相対化する、新たな歴史認識を確立しようとしているのだろうか。

第2章　歴史認識は処罰の対象となるのか

過去を支配する者は未来を支配する
現在を支配する者は過去を支配する
ジョージ・オーウェル

ヘイトスピーチの規制をめぐる各国の議論

２０１６年5月、特定の個人ではなく、グループとしての在日韓国・朝鮮人を対象とする一部団体の抗議デモが、人種的民族的偏見に基づくヘイトスピーチに当たるとして、法規制を求める声が上がり、ヘイトスピーチ解消法が成立した。

「本邦外出身者に対する不当な差別的言動の解消に向けた取組の推進に関する法律」という正式名称からもわかるとおり、日本人差別は対象とならない。今後、何が「不当な差別」に当たるのかをめぐって、拡大解釈される懸念があるものの、憲法で保障された表現の自由を尊重し、禁止規定や罰則は設けられなかった。

興味深いことに、常日頃、政府に表現の自由を最大限尊重することを求め、特定秘密保護法などに反対してきた人たちほど、一種の言論活動であるヘイトスピーチの規制には極めて熱心なようである。

ここでは、従来から犯罪である名誉棄損や侮辱（刑法２３０・２３１条）には当たらないものの、対象者の尊厳（dignity）を傷つける表現をヘイトスピーチと呼ぶ。一方、ＦＢＩに倣って、従来型犯罪に偏見の要素が加わったものはヘイトクライムと呼ぶことにして、両者を区別する。すでにヘイトスピーチが刑事罰の対象となり、ヘイトクライムの一部となった欧州や旧英自治領諸国（カナダ等）と異なり、ＦＢＩもホームページのヘイトクライム概説でわざわざ明記しているように、米国では「ヘイトそのものは犯罪ではない」。日米は、ヘイトスピーチに関して、ほぼ同じスタンスといえる。

米国におけるヘイトスピーチ規制の急先鋒である、ニュージーランド出身のニューヨーク大教授ジェレミー・ウォルドロンも、米国では憲法修正第１条に基づく表現の自由の尊重が半ば絶対視されていることから、学界での意見も分かれており、欧州のようなヘイトスピーチ規制が実際に導入される可能性が低いことを認めている（『ヘイト・スピーチという危害』）。

宗教上の信念に基づく反同性愛の主張などを制約されることを恐れる保守派のみならず、表現の自由を守るにはヘイトスピーチも甘受せざるをえないというリベラルからの規制反対論も有力で、米国におけるヘイトスピーチ規制の賛否に、保守対リベラルという構図は必ずしも当てはまらない。

ウォルドロンのヘイトスピーチ規制論も、説得力があるか否かはともかく、表現の自由に基づく反対論を十分意識したものになっている。規制で守られるべきは、「社会の正規の一員」（ordinary members of society in good standing）として扱われねばならないという意味での人々の尊厳であって、「感情が傷つけられることから人々を保護するのは、法の適正な目的ではない」。

しかし、ウォルドロンの主張のように、両者を実際に区別できるかどうかは疑問である。結局は、国家権力が最終的決定権を持つことにならざるをえない。この点、ウォルドロンは率直である。「ヘイトスピーチ規制は、政府がある種の内容が社会でどのように受け入れられるか、懸念を持つことにつながるだろう。私の立場は、こうした懸念は不当ではない（not unreasonable）というものだ」。あからさまな国家による言論統制の容認である。日本のヘイトスピーチ規制強化論者に、ここまでの「覚悟」はあるのだろうか。

いずれにせよ、ヘイトスピーチ規制は欧州の大勢とはいえても、米国では少なくとも当分は導入されることがないゆえ、世界の大勢とはいえない。「欧米では」という我が国知識人定番の議論は、ヘイトスピーチに関しては（も？）正しくない。

ホロコースト否定論者を対象とするドイツ

それでは、ヘイトスピーチ規制の「本場」、とくにその先導者といってよいドイツとフランスの状況は、どうなっているのだろうか。

まず、ドイツでは刑法130条で公衆扇動罪（Volksverhetzung）が規定され、民族・人種・宗教的グループに対する憎悪（Hass）を煽り、暴力や恣意的行動を促し、あるいは侮辱等を通して人間の尊厳（Menschenwürde）を傷つけ、公安を害した場合は、懲役（自由刑）3カ月以上5年以下、インターネットを含む出版物で同様の行為を行なった場合は懲役3年以下あるいは罰金刑に処せられる。

ヘイトスピーチ規制先進国のドイツでは、「憎悪」という用語を明記した、ほぼ同様の条項が、今から半世紀以上前の1960年から存在し、1969年から公衆扇動罪と呼ばれている。表現の自由を規制する法律としては曖昧(あいまい)過ぎる懸念があるものの、過激な人種差別的言動などを取り締まるためだけに適用されるのであれば、やむをえないという意見もあろう。

しかし、公衆扇動罪は、我々日本人が、通常、ヘイトスピーチ規制を考える際に思い浮かべるものとは、かなり違った行為も対象としている。

1994年に追加された第3項によって、国家社会主義（ナチズム、Nationalsozialismus）の支配下で行なわれた民族虐殺（Völkermord）を、公然とあるいは集会で是認、その存在を否定あるいは無害化した場合、懲役5年以下あるいは罰金刑に処せられる。また、2005年に追加された第4項によって、国家社会主義の暴力的・恣意的支配を是認、賞賛あるいは正当化することで、犠牲者の尊厳を傷つけた場合、懲役3年以下あるいは罰金刑に処せられる。

要するに、公衆扇動罪は、ユダヤ人迫害に関する通説を否定する、いわゆるホロコースト否定論者も対象にしているのだ。しかも、表明される内容そのものが犯罪を構成するとされるので、表現方法が一見「学術的」であっても許されない。当然ながら、日米では何の罪にもならない行為も、一種の「思想犯」となる。

そもそも、ナチス・ドイツ時代の歴史に関して、どこまでが学問的論争の範囲として許され、どこからが公衆扇動罪の対象となるのかがはっきりしない。実際に有罪となった例を見ると、大規模なユダヤ人迫害自体は認めていても、殺害方法、犠牲者数、あるいは対ユダヤ人政策の意図に関して、通説と異なる主張をした点が問題となっているようである。

誰でも「危ない」領域に入り込んで地雷を踏むようなことはしたくない。実際に訴追されることがないにしても、公衆扇動罪の存在、とくに「無害化」を犯罪とする規定が、ドイツにおける現代史研究に与える影響は大きい。仮にホロコーストに関する通説をすべて認めても、たとえば、ソ連共産主義の犯罪との比較を行なえば、相対化によるホロコーストの「無害化」と指弾されかねない。

後述するように、これは杞憂ではない。基本的に、ナチス・ドイツを絶対悪とするニュルンベルク裁判史観に異を唱えることは、命とまではいわないけれども、社会的地位を失う危険と、文字どおり隣合わせなのである。

批判を許さないニュルンベルク裁判史観の絶対化

ニュルンベルク裁判史観が批判を許さない一種の宗教的ドグマとなっていることが、さらに明確になっているのが、フランスのヘイトスピーチ規制法である。法案提出者が共産党国民議会議員ジャン＝クロード・ゲソであることから「ゲソ法」と呼ばれることが多い。

フランスにはもともと1972年に制定されたプレヴァン法という一般的なヘイトスピーチ規制法が存在していた。ところが、歴史研究そのものを犯罪の対象にすると明記した特異な法律であるゲソ法が、1990年にフランソワ・ミッテラン政権の下、保守中道政党の反対を押し切って、社共主導で成立した。

ゲソ法は一般的なヘイトスピーチ規制に加え、第9条で、ニュルンベルク国際軍事裁判所憲章第6条で規定され、同第9条に基づき犯罪組織とされたナチス指導部、親衛隊、ゲシュタポ等のメンバーその他が犯した「人道に対する罪」（crimes contre l'humanité）の存在に異議を唱える（contester）ことを犯罪としている。

「フランスは、事実上、国家に歴史の真実（Historical Truth）を決定する権利を与え、そこからの逸脱を罰する法律、スターリンやゲッベルスが賛美するだろう法律を持っている」。そして、フランス自らが犯した、敵が行なえば確実にジェノサイドと呼んだ過去には沈黙し、ユダヤ人虐殺への疑義に対してだけ、「こうした法律が日常的にしかし選択的に適用されている」。

この痛烈かつ的を射た批判を行なったのは、日本の保守知識人にはおそらく意外な人物、米国左翼の大御所ノーム・チョムスキーである。しかも、この発言は、欧米とくにフランスから、人権問題で常に批判の矢面に立たされているトルコのイスタンブールで開かれた、表現の自由に関する国際会議（2010年4月10日）でのものなのだ。付言しておくと、チョムスキーは、この会議でトルコにおける人権問題も取り上げている。にもかかわらず、欧米政府や主流メディアから自由な言論を弾圧していると「説教」されているトルコ政府は、会議開催を容認した。

法律に名を借りて国家権力で異なる歴史認識を圧殺しようという動きは、ホロコーストに限られない。生前、中東研究の第一人者と言われた、元プリンストン大教授バーナード・ルイス（英国出身、米国籍）も、その被害者の一人である。

欧米によるトルコ批判の核にあるのが、第一次大戦時のオスマン帝国内で起こったアルメニア人虐殺をめぐる歴史認識問題である。論点は虐殺の有無ではなく、帝国政府による国策としてのジェノサイドを主張するアルメニアに対して、戦時中の軍事的必要性に基づく強制移住の過程に伴う不祥事というのがトルコの立場である。

このトルコの主張を基本的に支持する発言を、1993年11月にルモンド紙上で行なったルイスは、アルメニア系活動家に虐殺否定論者として訴えられる。刑事では無罪となったものの、民事では一部敗訴となり賠償を命じられた。「微妙な問題にもかかわらず、ニュアンスを欠いた主張によって、求められている客観性と慎重さを欠いた」(manqué à ses devoirs d'objectivité et de prudence, en s'exprimant sans nuance, sur un sujet aussi sensible)として、天下の碩学(せきがく)が、その歴史認識を裁判で論難されたのである。

本人が述懐しているように、インタビューから裁判に至る一連の経過は、「意図的な罠(わな)」(deliberate entrapment)であった可能性が高い(『ひとつの世紀に関するノート』)。フランスにおける裁判の公正さへの絶望から、控訴を断念し、賠償に応じたルイスを、さらに落胆させたのは、ごく少数の例外を除き、フランスの学界や言論界でルイスを支援する声はなく、友人や同僚とみなしていた人たちも、例外ではなかったことである。

その後、ルイスを刑事で有罪に追い込めなかったアルメニア系フランス人は、本国政府の支援の下、ゲソ法と同様、アルメニア人虐殺がジェノサイドであることの否定を犯罪とする法案成立に全力を挙げる。2012年1月、こうした法案が議会を通過し、当時のニコラ・サルコジ大統領も署名、アルメニア人は目的を達したかに見えた。ところが、この法案は翌2月に憲法評議会で違憲とされ、結果的にトルコの逆転勝利となる。また、欧州人権裁判所は、2013年12月の第一審に続き、2015年10月の最終審でも、スイスの裁判においてジェノサイド否定で有罪となったトルコ人政治家の訴えを認め、有罪判決は表現の自由の侵害とする司法判断が確定した。

したがって、ユダヤ人虐殺以外の論点で歴史認識そのものが犯罪とされる可能性は、今のところはそれほど大きくないといえる。ただし、ルイスの例が示すように、民事裁判で多額の賠償支払いを命じられることは十分考えられる。欧州で南京事件や慰安婦問題について発言する日本人は注意が必要であろう。

冷戦後の思想統制強化

冷戦時、米国を盟主とする西側諸国は、ソ連共産主義の自由と民主主義圧殺を厳しく批判し、ソ連崩壊で最終的に勝利した。ところが、ナチズムやファシズムが第二次大戦後、徹底的に糾弾され、今日までそれが続いているのとは異なり、冷戦後、共産主義批判は決して高まらなかった。対照的に、前述のとおり、第二次大戦「正史」への異議封じ込めを含むヘイトスピーチ規制は、むしろ冷戦後、強化されている。

ヘイトスピーチ規制の実態をみれば、左右の過激派を対象とするのではなく、「敵」は「極右」のみ、ファシストでありネオナチである。民主主義対ファシズムという、連合国史観、あるいは第二次大戦正（聖）戦史観を支えるドグマは、冷戦後、むしろ強化されたといってよい。歴史の舞台から去り、現実の脅威ではなくなったソ連共産主義は、いまや「安心」して反ファシズム、すなわち正義の側に含めることができるというわけである。

1997年11月12日、右派のジャック・シラク大統領の下、社共連立内閣を率いた社会党のリオネル・ジョスパン首相は、ロシア革命は20世紀で最も偉大な出来事のひとつであり、本質的に邪悪なナチズムと、共産主義——スターリニズムはその逸脱に過ぎない——を同様に扱うことはできないとし、自らの内閣に共産党員が含まれることは誇りだ（fier）と言い切る。このジョスパンの発言に、社共議員は総立ちの拍手で応えた。

ナチズムやファシズムにも見るべき点があったなどという発言はもちろん、ナチス・ドイツの時代にもよいことがあったという発言すら、現在の欧州では激しい糾弾の対象となるのと大きな違いである。

冷戦後の共産主義「無害化」には、冷戦期、ソ連共産主義に宥和(ゆうわ)的であった多くの欧州知識人の自己保身という現実的動機もあろう。しかし、その背後には、もっと大きな流れがある。

米国伝統保守派の論客ポール・ゴットフリードが指摘しているように、「欧州のポスト・マルクス主義左翼（Post-Marxist Left）は米国の政治文化に多くを負っている」。そして、「この欧州左翼による吸収の過程は、本来は米国の歴史的状況に応じた政策の導入にまで突き進んだ」（『マルクス主義の奇妙な死』）。

１９６０年代以降、米国で一種のドグマとなった多文化主義（multiculturalism）は、黒人の存在と密接に関連しており、奴隷の子孫に対する白人の贖罪意識がその背景にある。一方、欧州では旧ユーゴスラビアの一部を除き、ほとんど白人キリスト教徒しかいなかったのに、多文化共生を国民に強制するかのように、欧州各国政府は、冷戦終結前後から、第三世界とくにイスラム圏からの移民受入れを拡大し、その勢いは止まらないどころか、むしろ加速している。ポスト・マルクス主義左翼の知的覇権下、欧州国民の大多数が反対する大量移民社会を維持推進するためには、ヘイトスピーチ規制に名を借りた、国家による言論の統制が不可避なことは容易に理解できる。

多文化主義は、人種、民族さらには男女の違いも、すべて人為的に作られたものであって、多文化共生に向け、乗り超えられるべき「表面的」相違に過ぎないという信念に基づいている。ある意味、こうした考え方は、人間は皆平等で共通の理性を持つ存在という啓蒙的普遍主義の到達点ともいえる。さらに遡って、キリスト教的普遍主義の世俗的実現といってよいかもしれない。

このような観点に立てば、民族や人種の相違を強調したファシズムやナチズムと違って、人種や民族を超えた「ホモ・ソビエティクス」(Homo Sovieticus) からなる社会建設を目指した20世紀共産主義運動は、確かに普遍主義の側に立つことは間違いない。したがって、ヘイトスピーチ規制が、民主主義対ファシズムという名の正義と悪の二元論に基づく連合国史観への異議を、その対象とすることは自然といってよい。

しかも、この歴史認識は、多文化共生社会に反対する大衆をソフトに抑圧するうえで、「反多文化共生＝ファシズム」というわかりやすい図式を提供する。そこでは、ヘイトスピーチ規制法は、決して表現の自由を制約などしない、愚かというより精神的に病んだファシストを社会から除去するための「公衆衛生」上の手段とみなされる。要するに、多文化共生に反対するのは「病気」ということである。

なぜソルジェニーツィンが批判の対象なのか

安倍晋三首相に対して、欧米メディア等からしばしば「修正主義者」（revisionist）という批判が行なわれる（たとえば、『フィナンシャル・タイムス』２０１４年2月10日付）。この多くの日本人にとっては中立的表現に見える「修正主義」（revisionism）という言葉で、欧米知識人がまず思い浮かべるのは、今日の米国主導世界秩序のイデオロギー的基礎である第二次大戦「正史」への異議、特にホロコースト否定論である。

ゴットフリードは次のように言っている。

「『修正』(revision) とは、ポスト・マルクス主義左翼にとって政治的に正しくない(politically incorrect) こと、つまり『ファシスト』的思考の表現を意味する符牒(code word) である。これは必ずしもホロコーストの通説に挑戦する人々に対してのみ用いられるのではなく、『ファシスト』の脅威に対する我々の抵抗を弱めかねない歴史的叙述を行なう人々にも向けられる」。

そのためフランスでは、ソ連の犯罪を強調したり、対独降伏後にナチス・ドイツに協力したヴィシー政権に抵抗しなかった当時の庶民への非難に疑問を呈したりするだけで「修正主義者」というレッテルが貼られる。

アレクサンドル・ソルジェニーツィンですら、ソ連の悪を際立たせることで、比類なき絶対悪であるナチズムという見方を危うくするとして、「修正主義者」にされてしまう。ポスト・マルクス主義左翼のこうした主張は、事実に基づいた論難ではなく、「政治的神学的評価なのだ」。

かつてソ連共産党の圧政に抵抗する自由の闘士として、欧米で英雄視されたソルジェニーツィンは、冷戦が終わると、多文化主義と真っ向から対立する、そのロシア民族主義ゆえ、逆に欧米知識人の批判の対象となった。とくに、ナチスが反「ユダヤ共産主義」

(jüdischer Bolschewismus)を旗印としたことから、欧米ではタブーともいえるユダヤ人とロシア革命の関係に言及した『ユダヤ人とともに二百年』公刊は、彼の欧米での声望に大きなダメージを与えた。

第二次大戦正(聖)戦史観にとって、あくまで悪の主役はドイツであり、日本やイタリアは脇役に過ぎない。しかし、ヘイトスピーチ規制を推進する欧米「反ファシスト」多文化共生論者は、日本での歴史認識見直しの動きが、彼らの言論支配にとって、蟻(あり)の一穴(いっけつ)になりかねないとして、日本国内のリベラルという名のポスト・マルクス主義左翼と協調して、今後さらなる圧迫を加えてくることが予想される。

実際、国連人種差別撤廃委員会は、定例の国別報告で2014年8月、ヘイトスピーチ規制導入に加え、慰安婦問題に関して、「こうした事件の誹謗(ひぼう)や否定の試みを断罪する(Condemn any attempts at defamation or denial of such events)」よう日本政府に勧告している。

ただし、この委員会は、国連の下部機関というより、国際条約に基づく諮問機関に過ぎない。したがって、こうした勧告を不必要に重大視すると、かえって規制論者の術中に陥ることになる。慰安婦に関する日韓合意を批判した2016年3月の国連女子差別撤廃委員会最終見解についても、同じことがいえる。ちなみに、日本同様、人種差別撤廃委員会にヘイトスピーチ規制導入等を勧告された米国では、ほとんど話題にならなかった。

今後、日本の精神的独立と直結した歴史認識見直しを抑圧しかねないヘイトスピーチ規制に反対するうえで求められるのは、罵り合いではなく、事実に基づく冷静な議論である。規制論者に言質を与えることになる中韓国民を侮辱する言動は厳に慎み、そのような挙に出る人々とは一線を画さねばならない。そうしなければ、欧州のように、事実への言及さえ封じられる時代が来るかもしれないのである。

第3章　なぜ「歴史修正主義」は非難されるのか

戦争で最初に犠牲になるのは真実である
ハイラム・ジョンソン

二度の大戦と歴史認識

三島由紀夫は『葉隠入門』でこう言っている。「死を規定するその目的の正しさは、また歴史によって十年後、数十年後、あるいは百年後、二百年後には、逆転し訂正されるかもしれないのである」。

歴史認識というのは、時が経つにつれて変わって行く。第二次世界大戦に対する評価も当然、例外ではありえないし、日本では、昨今、そうした傾向が顕著となってきた。一方、第2章でも述べたように、ソ連が崩壊し共産主義の現実的脅威が消滅して以降、民主主義対ファシズムという名の善悪二元論に基づく連合国側のプロパガンダは、欧米ではむしろ強化されてきている。主流メディアや知識人が、連合国史観、あるいは第二次大戦正(聖)戦史観を肯んじない論者に「修正主義者」というレッテルを貼って、その言論を封殺しようとしているのが現状である。

さて、日本ではそれほど大きな話題とはならなかったけれども、2014年は開戦からちょうど1世紀にあたることから、欧州諸国では第一次大戦をめぐる議論が盛んに行なわれた。欧州諸国にとって、第二次大戦は第一次大戦の延長戦ともいえ、戦後処理にも類似点は多い。むしろ英米仏にとって、第二次大戦の戦後処理は、第一次大戦後の失敗を教訓にした見事な成功例といえる。それは歴史認識においても例外ではない。

第一次大戦中の英米によるプロパガンダ

第一次大戦は、敵を絶対悪とみなすプロパガンダが、とくに英仏露の連合国側から行なわれた点で、それまでの欧州諸国間の限定戦争とは様相を異にした。膠着状態を打破し、連合国の勝利を決定付けたのは米国の参戦であり、それには英国による情報工作が大きな役割を果たした。

20世紀前半の米国を代表する歴史学者チャールズ・ビーアドは、「『合衆国を教育する』仕事を遂行するうえで」、自国に有利になるよう恣意的に選んだ外交文書集などより、「残虐ストーリーによって、はるかに容易に米国民は心動かされることに、プロパガンダ担当者はすぐに気付いた」と、戦間期に広く読まれた『米国文明の興隆』に記している。

とりわけ米国における反独感情醸成に貢献したのが、1915年のルシタニア号撃沈と並んで、その直後に公表された、ドイツ軍がベルギー占領の過程で行なったとされる残虐行為に関する『ブライス報告』である。

この非戦闘員の虐殺、強姦及び略奪が独軍兵士によって「この三世紀における如何なる文明国間の戦争とも比較を絶した規模」で行なわれたと結論付けた英国政府公認の報告を、「証言」に基づき実際に作成したのは、ハーバート・アスキス内閣の閣僚チャールズ・マスターマンが率いるＷＰＢ（戦争宣伝局）であった。要するに、事実無根の荒唐無稽なプロパガンダである。

なぜこのような「報告」とは名ばかりの残虐ストーリーが疑いもなく信用され、米国の政治学者ハロルド・ラスウェルが指摘するように、「この戦争における大勝利のひとつ」

(『宣伝技術と欧洲大戦』)となったのか。

それには報告の責任者とされたジェームズ・ブライスの名声が決定的に作用した。『近代民主政治』によって日本でも知られたこの学者政治家は、大戦直前には駐米大使を務め、英国を代表する知性として米国でも高く評価されていた。それゆえ、その報告は「客観的」なものに違いないと、事実の評価としては全くの誤りであるにもかかわらず、米国を参戦させたい英国政府の観点からいえば「正しく」評価されたのである。

どれほどこの報告が効果を発揮したのか、マスターマンはブライスに送った手紙にこう記している。「あなたの報告は米国を席巻（せっけん）しました。……あなたの署名があるというだけで、最も懐疑的だった人々でさえ考えを改めたと公言しています」（ニコラス・ランキン『チャーチルの魔法使いたち』）。

ちなみに、なぜ戦争プロパガンダに強姦がつきものなのか、ラスウェルの指摘は、慰安婦問題を考えるうえでも参考になる。

「敵に凌辱（りょうじょく）される若い女性というのは、国境の反対側にいる大勢に当の凌辱者になったかのような秘められた満足感（secret satisfaction to a host of vicarious ravishers）を与える。それゆえ、たぶん、こうしたストーリーに人気があり、そこかしこに見られるのだろう」。

敵軍による領土侵入は許さなかったものの、米国参戦による劣勢は如何(いかん)ともしがたく、ドイツは、ウッドロウ・ウィルソン米大統領の14カ条の平和原則に基づく寛大な条件を期待して、降伏した。しかし、英仏主導の連合国は、ドイツにとって過酷極まりないベルサイユ条約を一方的に押し付ける。そのため、ドイツ国内では、条約ではなく「命令」(Diktat)と呼ばれた。

ベルサイユ条約は「戦争責任条項」(War Guilt Clause)と呼ばれた第231条で、「ドイツとその同盟国の攻撃(aggression)によって強(し)いられた戦争の結果として連合国政府とその国民が被(こうむ)った、すべての損失と損害を生じさせたことについて、ドイツとその同盟国に責任があると、連合国は断定(affirm)し、ドイツは承認(accept)する」と規定し、ドイツにすべての戦争責任を帰した。このいわゆる「単独責任」(Alleinschuld)に基づき、ドイツとその同盟国はその領土を奪われ、膨大な賠償金を課されることとなったのである。

そのうえ、本人がオランダに亡命したため実現しなかったものの、第227条では「国際道義と条約の神聖に対するこのうえない侵害(supreme offence)」を理由に、ドイツ皇帝ヴィルヘルム二世を訴追し、侵略戦争の責任者として処罰することも規定された。

ところが、第二次大戦後と違い、第一次大戦連合国史観の支配は、長くは続かなかった。

第一次大戦後の修正主義

戦争が終わり、冷静さが戻ると、たちまち独軍残虐プロパガンダの嘘が暴かれる。ベルギーで行なわれた『ブライス報告』の検証は、当然ながら、報告中の主たる事例のうち、ただのひとつもその存在を示せなかった。19世紀のクリミア戦争から今日の中東戦争まで、英米メディアによる政府と一体となった戦争報道のプロパガンダ的性格を詳述したフィリップ・ナイトリーは、皮肉を込めてこう記している。「証言記録は不思議なことに跡形もなく姿を消し、今日に至るまで見つかっていない」(『戦争報道の内幕』)。

当のブライスも、戦争中にはどんなことも生じうるとだけ言い残し、戦後、ほどなく亡くなった(ハリー・バーンズ『真理と正義を求めて』)。

ドイツ単独責任論も、講和直後から揺らぎ始める。

1919年6月にベルサイユ条約が調印された翌年、早くも米国の歴史学者シドニー・フェイ（後にハーバード大教授）は、米国歴史学会誌『アメリカン・ヒストリカル・レビュー』に「世界大戦の起源に新たな光を当てる」と題された、連合国史観に対する修正主義の嚆矢（こうし）といえる論文を3回に分けて発表し、ドイツ単独責任論に疑問を呈した。

フェイはさらに、1928年に公刊された『世界大戦の起源』で、「いずれの大国も欧州での大戦を望んでいなかった。（中略）現在までに明らかとなった証拠に基づけば、ドイツとその同盟国だけに大戦の責任があるというベルサイユ条約の裁断は、歴史として根拠薄弱である。したがって、改められなければならない」と結論付けた。

フェイより若い世代のハーバード大の歴史学者ウィリアム・ランガーが書評で、「適切な基礎資料に基づいて、この問題を初めて純粋に科学的に取り扱った、米国における学問の金字塔」（『ネーション』1928年12月5日号）と評したように、この1000頁（ページ）を超える大著は、当時、第一次大戦起源研究の決定版とされた。

ランガーはこの書評で、戦間期の修正主義普及に多大の貢献をしたバーンズの手になる『真理と正義を求めて』も同時に取り上げ、「その議論の素晴らしさは実際に読んでみてはじめてわかる」と称賛している。

このように、戦間期にはベルサイユ条約に否定的な修正史観が、通説とまでいえるかどうかはともかく、歴史研究の世界で確固たる位置を占めていた。それは、「反ベルサイユ」で国論が一致していたドイツはもちろん、英仏でも同様であった。

米国においても、ウィルソン大統領自身が唱えた、「世界をデモクラシーにとって安全な場所にせねばならない（The world must be made safe for democracy）」という標語の下、正（聖）戦として参加した大戦への疑問が、国民全体に広がる。

1930年代半ばにジェラルド・ナイ上院議員が委員長を務めた、いわゆるナイ委員会では、戦争の過程で米国の銀行と軍需産業が大きな利益を上げたことが取り上げられ、国民の孤立主義的傾向に拍車がかかる。つまり第二次大戦前の米国民衆の間では、厭戦（えんせん）気分が蔓延していた。

ビーアドは、「圧倒的多数の米国民が、欧州やアジアにおける戦争に合衆国がかかわるべきではないと確信していたことに、疑いの余地はない。この確信は、とりわけ第一次大戦中及び戦後の経験に基づいて、徐々に形成されてきた」としている（『ルーズベルトの責任』）。

だからこそ、真珠湾攻撃という「天佑」がなければ、フランクリン・ルーズベルト大統領が熱望していた米国の参戦は実現しなかったとされるのだ。

第二次大戦後の修正主義

講和条約に明記された戦勝国史観に対する修正の試みが、戦争終結直後から盛んとなり、学界や政界の中心においても広く受け入れられた第一次大戦後と異なり、第二次大戦連合国史観は、戦後70年経った今でも、米国主導の世界秩序のイデオロギー的基礎として、戦勝国のみならず敗戦国においても正統史観としての地位を保っている。

なぜこのような大きな違いが生まれたのであろうか。

まず、枢軸国とくにドイツを絶対悪とする連合国史観を道徳的に支えているのは、ナチスによる組織的ユダヤ人迫害という、他の戦争犯罪とは一線を画した、第一次大戦にはなかった人道に対する罪の存在である。

そして、米国においては、戦後すぐに共和党に政権が移り、通常の平和が戻った第一次大戦後と対照的に、第二次大戦後は、ルーズベルト政権の副大統領だったハリー・トルーマンの下で民主党政権が継続し、しかも、すぐさま米ソ間の冷戦という準戦時体制が始まった。そのため、現実政治から距離を置いた歴史研究が、とくに米国では困難となった。

たとえば、１９４７年に公刊されたジョージ・モーゲンスターンの『真珠湾』に対する、イェール大教授サミュエル・ビーミスの書評（『ジャーナル・オブ・モダーン・ヒストリー』19巻5号）には、学界主流の政治観が如実に表われている。

日本の学界では「ルーズベルト陰謀史観」の代表例として際物（きわもの）扱いされているこの書を、徹底的に批判していると思いきや、ビーミスは事実認識としては、むしろモーゲンスターンに賛意を示している。ルーズベルトら政権首脳が日本軍の暗号解読により、真珠湾攻撃が数日内に迫っていることを知りながら、ハワイの司令官たちに情報を十分伝えなかったとし、攻撃を受けた責任はルーズベルトらにあるというモーゲンスターンの主張に、ビーミスは「完全に同意する（entirely convincing）」とした。さらに民主党主導の議会調査委員会が偏向しており、自分たちのリーダーを守ろうとしたという主張についても、「評者は著者と思いを同じくする」と記している。

にもかかわらず、ビーミスは、この書が非友好勢力に利用されることで、「モーゲンスターン自身の祖国、我々の今も自由な共和国を害する」ことになるゆえ、「この１９４７年という時点でルーズベルト大統領に戦争責任を負わせようとする修正主義者の試みは、由々しく、不適切であり、あえていえば、嘆かわしい」と著者を批判する。
こうした、目的は手段を正当化するという思考形式は、戦争直後の米国エスタブリッシュメントのコンセンサスといってよい。スタンフォード大教授トーマス・ベイリーが1948年に公刊した『市井の人々』は、その率直さで際立っている。

大衆はひどく近視眼的であり、一般的にまさにそこに迫るまで危機を見通すことができないので、我々の政治家は、大衆を騙(だま)してでも、自らの長期的利益に気付くよう仕向けることを強いられる。明らかにこれがルーズベルト大統領のやらねばならなかったことであり、それについて後世が大統領に感謝しないなどと言えようか。

さらに、ルーズベルト大統領がニューディールの失敗を取り繕(つくろ)うために、日本を挑発して真珠湾を攻撃させたという主張には証拠が欠けていると述べた後、ベイリーはこう続ける。「大統領がそのように計画したかどうかはともかく、事態はそのように進展した。独裁者たちを阻止する必要性に鑑(かんが)みれば、大統領がその結果に密かにほくそ笑んだとしても、それは人間として自然なことであろう」。

そして、それまで散々米国を悩ましてきた日本は、最後に真珠湾攻撃という「国民を団結させるために必要なただひとつのことをやってくれた。（中略）ハワイで沈められた軍艦など、米国人を一致団結させる代償としては、不必要であったにしても安いものであった」と、総括する。

米国エリートにとって、修正主義や「陰謀史観」の誤りは、事実認識にあるのではなく、その「愚かな」政治判断にあるのだ。

なぜ、第二次大戦後の修正主義がタブーとなったのか

第二次大戦後に修正主義が拡がらなかったのは、ホロコーストと冷戦という第一次大戦後には存在しなかった要因だけによるわけではない。

ロックフェラー財団の1946年年次報告書には、米国外交に大きな影響力を持ち政財界の国際派が集うCFR（外交問題評議会）への助成が2件記されている。ひとつは、戦時中、政府と一体となって行なわれた部外秘の「戦争と平和研究」を衣替えして戦後に引き継がれたプロジェクトへの一般的助成であり、もうひとつが、第二次大戦史に関する特

別助成である。

そこに見られるのは、二度と第一次大戦後のような孤立主義への回帰を許さないという、米国支配層の強い意志である。「CFR研究委員会は第一次大戦後の時流に沿った暴露的キャンペーン」すなわち米国を孤立主義に向かわせる要因となった修正主義が、「二度と繰り返されるべきではないとし、米国民は、第二次大戦中の我々の基本的な目的や活動に関して、明確かつ適切な記述を提供されるべきだと考えている」。

このプロジェクトの中心人物が、戦間期は修正主義の側にいた、前述のハーバード大教授ランガーであった。彼は戦時中、CIA（中央情報局）の前身であるOSS（戦略情報局）の一員として、ルーズベルト政権と密接な関係を形成していた。この例に見られるように、米国における政治・軍事に関連する「研究」は、情報宣伝活動との境界が曖昧(あいまい)である。

政府と一体となった学界エスタブリッシュメントの「統制」下、かつて歴史学界に君臨したビーアドは、1948年に公刊した戦勝国史観に挑戦する『ルーズベルトの責任』が晩節を汚すものとして非難され、同年、孤立無援のなか亡くなった。同様の主張を続けたバーンズも、メディアや学界から無視されたまま、1968年に生涯を終える。

こうした第二次大戦後における修正主義を阻止する動きが、実は戦前の米国参戦に向けた英国の情報工作と密接に関連していたことを明らかにしたのが、トーマス・マールの『死にもの狂いの偽計』である。

第一次大戦同様、ドイツを相手に単独では勝利がおぼつかない英国は、米国を参戦させるべく、表題どおりの死にもの狂いの偽計を行なう。しかし、この違法な情報工作には、本来それを防止すべき工作対象の政府、すなわちルーズベルト政権の強力な支援があった。

OSSのトップには、英情報機関が「我々の一員」(our man)と呼んだウィリアム・ドノヴァンが任命され、英国が米国内で諜報活動を行なうために設立したBSC(英国安全調整機関)の本部として、ロックフェラー家はロックフェラー・センターの38階を無償で提供した。そして、大統領の特命を受けて活動したのが、後の副大統領ネルソン・ロックフェラーであった。

おそらく、日本では歴史学者のみならず、知米派・親米派と呼ばれる知識人の多くが、陰謀史観に満ちた俗書として切って捨てるだろう『死にもの狂いの偽計』を、現在の米国エリートはどう見ているのか。

実は、ジョンズ・ホプキンス大教授であり、ネオコンサバティブ（ネオコン）の論客として著名なエリオット・コーエンが驚くほど好意的な書評を書いているのだ。そこに見られるのは、偽計は偽計として認めたうえで、「正しい」目的は手段を正当化するという、先にも見た米国エスタブリッシュメントの変わらぬ「信条」である。

内政における民族集団の果たす役割や、外交に対する外国政府の影響を憂える人々は、この本を読めばよいとしたうえで、コーエンはこう続ける。

白人アングロサクソン・プロテスタントとその同調者は他の何々系米国人と同じように行動していたし、ネヴィル・チェンバレンとウィンストン・チャーチルの英国政府は合衆国を戦争に引き入れるべく、巧妙かつよく計画された活動を持続した。彼らは成功し、それはよいことでもあった。彼らの望みと合衆国（他国は言わずもがな）にとって妥当な政策は一致していたのだ。

英情報機関による世論調査操作や数々のフロント組織結成に関する叙述を賞賛しつつ、コーエンはこう結ぶ。「まだ多くの事例が公文書館に埋もれたままだろうし、残念ながら、とうの昔に火中に投じられたファイルのなかで歴史から隠されてしまったものもあるだろう」。

この書評が掲載されたのは、コーエンもその主要メンバーである、CFRの機関誌『フォーリン・アフェアーズ』(1998年7・8月号)。2017年に亡くなるまでCFRの名誉会長を務めていたのは、ネルソンの弟でロックフェラー家当主だった、デービッド・ロックフェラーである。

第一次大戦責任論の度重なる逆転

第二次大戦後、「正史」である連合国史観は、第一次大戦にまで遡(さかのぼ)って適用される。戦間期に否定されたかに見えたドイツ単独責任論を、ハンブルク大教授フリッツ・フィッシャーが再び提起したことから(『世界強国への道』)、ドイツでは1960年代に、「フィッシャー論争(Fischer-Kontroverse)」が巻き起こる。

その結果、戦間期には左右を問わず「反ベルサイユ」だったドイツにおいても、少なくとも知識人の間では、ドイツ単独責任論が通説となる。その底流にあるのは、アドルフ・

ヒトラーは特異な現象ではなく、ドイツ文化あるいは社会の一種の到達点だとする、ナチスではなくドイツそのものの断罪論である。なお、日本でも同様の例には事欠かないけれども、フィッシャーは戦時中、ナチス御用学者であった。

こうしたなか、ケンブリッジ大教授クリストファー・クラークは、２０１２年に公刊され、欧米でベストセラーとなり、歴史学界でも高く評価された『夢遊病者たち』で、再び、戦間期のフェイと同様、さらにその後明らかになった文献資料に基づき、説得力をもってドイツ単独責任論の根拠のなさを示した。彼の表現を借りれば、「戦争の勃発は悲劇であったにしても犯罪ではなかった」のである。

『夢遊病者たち』はドイツでもベストセラーとなったものの、知識人や歴史学者の間ではむしろ不評といってよい。クラークが「ドイツにおいてのみ、私は親独派(deutschfreundlich)だとして非難される」と言っているように、ここにもドイツ人の過去の否定と反省に対する自己陶酔（Nabelschau）が見て取れる（『ディ・ヴェルト』２０１３年10月25日付)。

欧米メディアから歴史修正主義者と非難される政治家が表舞台で活躍し、知識人も政治家も歴史認識をめぐる多様な見解を公然と表明できる日本は、まだしも健全といえるかもしれない。

歴史に限らず、新たに明らかとなった証拠等に基づき、それまでの認識を改めるのは自然なことである。「正史」への異論すなわち修正主義が誤っているにしても、ジョン・ミルトンが大昔に『アレオパジティカ』で喝破したように、悪い肉が全く栄養にならないのと異なり、「悪書は思慮深く賢明な読者には、多くの点で、発見し、論駁し、注意し、例証するのに役立つ」。

それゆえ、「真実と虚偽を取っ組み合わせよ。自由で開かれた対決で真実が敗れた例など今まであったであろうか」。

それとも、連合国史観は、議論に堪えられないほど、根拠がないものなのだろうか。

第４章　チャンドラ・ボースは英雄か傀儡（かいらい）か？

私はインドのために生き、そして死ぬ
チャンドラ・ボース

歴史戦争の同盟国

安倍晋三首相が進める対外政策には、野党や公明党のみならず、自らが総裁を務める自民党においても根強い反対論がある。そのなかで例外的に広く支持されているのが、中韓を除くアジア及びアフリカ諸国との関係強化を狙（ねら）った首脳外交であろう。

なかでもインドとの関係緊密化は際立っている。２０１４年夏にナレンドラ・モディ首相が来日した際、安倍首相は京都訪問にまで同行するなど計7時間余りも一緒に過ごし、親印姿勢を内外にアピールした。

対するモディ首相も、安倍首相との夕食会で「インド人が日本に来てパール判事の話をすると尊敬される。自慢できることだ。判事が東京裁判で果たした役割はわれわれも忘れていない」と発言するなど、親日家ぶりを発揮した（『産経新聞』2014年9月3日付）。

国内に投資機会が乏しい老大国日本にとって、今後さらなる経済成長が期待されるインドの経済的重要性はかつてないほど高まっており、強大化する中国に対処するうえで、日印は政治的利害においても一致している。

そして何より、モディ首相の夕食会発言にみられるように、近年とみに激化する歴史戦争の最重要同盟国として、インドは日本にとってかけがえのない存在である。実は、8月15日という日付は、日本だけでなく、インドにとっても、その歴史を画する運命の日なのだ。インドは日本敗戦のちょうど2年後の1947年8月15日に独立したのである。しかも、この二つの「八・一五」は、一人のインド人を介して直接つながっている。

といっても、東京裁判の判事として、日本人の念頭に真っ先に浮かぶラダビノード・パールのことではない。パールは偉大な学究である。しかし、本国では無名に近く、残念ながらインド国民一般にアピールする力はない。

それに対し、日本の戦いとインド独立を直接つなぐ人物のインドにおける声望は、近年むしろ高まっている。終戦時に台北で亡くなった、自由インド仮政府首班スバス・チャンドラ・ボースである。

ボース再考

なぜ今、ボースなのか。

まず、マハトマ（聖者）と呼ばれたモハンダス・カラムチャンド・ガンジー暗殺（１９４８年）の後、戦後インドに君臨したジャワハルラル・ネルーとその一族による政治支配が、１９９０年代に終焉を迎えたことが挙げられる。そのため、ネルーと生前ライバル関係にあり、ネタージ（指導者）と呼ばれたボースの評価が相対的に高まった。またボースは、独立前に死亡したために、国民にとって失望の連続であった戦後インド政治と無縁の、クリーンな存在として記憶されていることも、再評価に寄与している。

しかし、より重要な要因は、インド人自身の自己認識の変遷である。中国やパキスタンと対峙するうえで、武力の重要性を痛感したインドは、今や核保有国であり、経済的にも、中国と並ぶ新興国の雄である。軍事経済大国インドにふさわしい理想的指導者と国民が考えるのは、非暴力のガンジーではなく、力の重要性を誰よりも認識し、実際に大英帝国と戦ったボースなのだ。

1997年8月15日、インド議会は独立50年を祝って、独立闘争の三大英雄、すなわちガンジー、ネルーそしてボースの肉声録音を流した。その際、最大最長の拍手喝采を浴びたのはボースであった。

インドでの圧倒的声望にもかかわらず、ボースがそれに相応した扱いを日本で受けていないのはなぜか。それはボースが日本とともに、英国と戦ったからである。連合国にとって、ボースは悪の帝国日本の傀儡であり、当然ながら否定的評価が支配的である。欧米での評価、すなわち東京裁判史観の支配下にある、戦後日本の歴史研究がボースに冷淡であったのは、ある意味当然であった。

もちろん、アジアの解放という当時の日本の主張に、少なくともある程度の真実が含まれているという視点から、独立の闘士ボースに対する日本の支援を肯定的に捉える著作も少なからず存在する。ボースから全幅の信頼を得、ともに英軍と戦ったF機関長藤原岩市少佐や国塚一乗少尉の手になる回想記は、その代表例である（藤原『F機関』、国塚『インパールを越えて』)。ただし、日本軍の問題点も冷静に指摘したこうした貴重な記録も、東京裁判史観論者にとっては、「歴史修正主義」に基づく侵略戦争の美化でしかないのであろう。

しかし、近年米国で公刊され、藤原少佐や国塚少尉の見方と比較的近い視点から書かれたボース伝『国王陛下の敵』には、安易なレッテル貼りは通用しない。著者のスガタ・ボースは歴史研究の主流も主流、ハーバード大歴史学教授。そして、その名からもわかるとおり、チャンドラ・ボースの縁者であり、正確には大甥（おおおい）（甥の息子）である。『国王陛下の敵』は、インドの著名な歴史学者ルドラングシュ・ムカージーによって、現時点のみならず、今後もボース伝の決定版であり続けるだろうと絶賛された。さらに欧米においても、たとえば『ウォール・ストリート・ジャーナル』のトム・ライトが、ボースのインド国外での復権に貢献すると述べるなど、その評価は高い。

主にこのボース伝の決定版と、藤原及び国塚の回想記に拠（よ）りながら、日本軍のシンガポール攻略からインド独立までの軌跡を追う。なお、本章で単に「ボース」とある場合は、チャンドラ・ボースを指す。

英軍の主力を占めていたインド兵

先の大戦に関しては、真珠湾攻撃に始まる日米の戦いがどうしても議論の中心になる。しかしながら、自存自衛の勢力圏を確保するという、戦略的により重要な戦いは、山下奉文（やましたともゆき）中将率いる第25軍を主力とする、マレー・シンガポール攻略戦であった。日本軍の相手は、米軍ではなく、英インド軍を主力とする英軍である。

英インド軍は、将校を除いて主にインドの現地人から構成された軍隊であり、英国植民地支配を根幹において支えていた。ガンジーに率いられた反英独立運動の盛り上がりにもかかわらず、インド兵は大英帝国の忠実な僕（しもべ）であり続けた。日本と戦うまでは。

開戦前の1941年9月、参謀総長杉山元（すぎやまはじめ）大将の特命を受け、藤原少佐がバンコクに派遣される。藤原は「大東亜新秩序の大理念を実現するために、インドの独立と日印提携の開拓を用意しつつ、まずマレー方面の工作に当」たることが自らの使命と理解した。インド独立史に名を残す、F機関長「メジャー・フジワラ」（Major Fujiwara）の誕生である。

本稿では藤原本人の意を汲んで、「藤原機関」ではなく、フリーダム、フレンドシップ、フジワラの頭文字をとった「F機関」と呼ぶ。

バンコクに着いた藤原は、まずＩＩＬ（インド独立連盟、Indian Independence League）書記長プリタム・シンと密会する。当時、反英秘密結社ＩＩＬは弱体ながら、バンコクを拠点に東南アジアに一定のネットワークを持っており、すでに、日本軍とは協力関係にあった。藤原とシンはすぐさま意気投合し、この後、ＩＩＬはインド独立運動に大きな役割を果たす。ただし、シンは、１９４２年3月、東京に向かう途中、飛行機事故で落命した。

12月8日の開戦後、藤原率いるF機関は、公然と活動を開始したＩＩＬの協力を得て、マレー半島を南下する日本軍に対峙する英インド軍のインド兵を、戦わずして次々に投降させる。なぜそのようなことが可能だったのか。藤原らはインド兵にアジア人としての連帯を訴え、単なる美辞麗句でないことを行動で示した。英人将校による差別の下で生きてきたインド兵は、投降直後に藤原以下、F機関員が一緒になって手づかみでインド料理を食べるのを見て感激する。

そして、12月31日、英インド軍下級将校だったモハン・シンを司令官とする、インド人によるインド独立のための軍隊、ＩＮＡ（インド国民軍、Indian National Army）が創設される。

大英帝国のアジア植民地支配の拠点シンガポールは、結局、開戦からわずか2カ月余の１９４2年2月15日にあっけなく陥落した。とはいえ、この勝利は奇跡だったともいえる。日本軍が自らと同様、3万人程度と想定していた英軍は、実はインド兵5万人を含め10万人を擁していたのである。三分の一の兵力で攻撃戦を仕掛けるという、非常識極まりない「無謀」な戦いだったのだ。

しかし、Ｆ機関員国塚少尉の卓抜な表現を借りれば、英軍は「英兵五万とインド兵五万で計十万の戦力にならず、五万マイナス五万でゼロとなった感じであ」った。Ｆ機関の工作により、降伏直前の英軍司令部は、もはや自軍のインド兵を信頼できない状況に追い込まれていた。

藤原は総仕上げとして、投降後に英軍から見捨てられた格好となった5万人のインド兵を前に大演説を行なう。通訳をしたのが、敗戦までインド国民軍と日本軍の連絡将校を務めた国塚であった。

日本軍はインド兵諸君を捕虜という観念ではみていない。日本軍はインド兵諸君を兄弟の情愛をもってみているのである。（中略）日本軍はインド兵諸君が自ら進んで祖国の解放と独立の闘いのために忠誠を誓い、ＩＮＡに参加を希望するにおいては、日本軍捕虜としての扱いを停止し、諸君の闘争の自由を認め、また全面的支援を与えんとするものである。

この呼びかけに、インド兵の圧倒的多数が歓呼の声で応じ、日印の絆は最高潮に達した。ところが、日印共同戦線構築の流れはこの歴史的演説をピークとして、この後、下降線をたどり始める。

現地工作は個人的つながりが決定的に重要であるにもかかわらず、日本の官僚組織特有の人事異動で、藤原は4月に転属となる。重要性を増した対インド工作は、人員と予算が桁違いに大きくなり、大物軍人岩畔豪雄大佐がトップに就任した。しかし、岩畔とＩＮＡの関係はうまく行かず、11月には、ついにモハン・シン司令官罷免にまで発展する。

また、インド兵と接する中で、ボースの絶大な声望を肌で感じていた藤原は、可能な限り早期にボースを招聘し、ＩＮＡの指揮を委ねることを具申したにもかかわらず、受け入れられなかった。陸軍中枢は「中村屋のボース」と呼ばれた日本在住のラス・ビハリ・ボースを対インド工作において最重要視しており、二人のボースのインド本国における受け止め方の大きな違いを理解していなかった。中村屋のボースが立派な人物であることは間違いないにしても、祖国を去って久しい老闘士はインドではほとんど無名の存在。一方のチャンドラ・ボースはガンジーも一目置く独立運動の巨星なのだ。硬直した人事施策と並んで、知日派を重視しすぎる弊害は、今日も繰り返される日本外交・防衛の問題点である。

もし、1942年の早い段階でボースを招いていれば、戦局は大いに違っていただろう。INAによるインド武力解放が早期に実現していたかもしれない。

それでも、ボースは最終的に日本にやってくる。

日本艇に乗り移った時のボースの感慨

遅きに失したとはいえ、ボースの重要性に気付いた日本政府は、ドイツにいたボースを日本に招くことを決意する。

ところで、なぜボースはドイツにいたのか。

1941年1月、獄中で容態が悪化したことから、前年末に保釈され、コルカタ（カルカッタ）の自宅で静養していたボースが突然、姿を消す。

ガンジーの非暴力不服従方針に反発し、力には力の必要性を痛感していたボースは、敵の敵、すなわちドイツとの連携を目指し、アフガニスタンを経由してドイツへ旅立ったのだ。この決死の脱出行を助けたのが、独立運動の同志でもあった兄サラトの息子すなわち甥のシシル。後に『国王陛下の敵』を著わすスガタ・ボースの父である。

紆余曲折を経て、ドイツにたどり着いたものの、ボースはヒトラー率いるナチス政権から、インド独立にとって有効な支援を受けることはできなかった。

ある意味、1943年の時点で、戦局悪化と対INA関係険悪化に苦慮していた日本とボースの思惑は一致していた。こうして、英米が制海権を握るなか、潜水艦によるボースの日本への旅が決行される。

4月28日、マダガスカル沖でドイツのUボートから、寺岡正雄大佐指揮下の日本の伊号潜水艦は、無事にボースを受け取る。寺岡は自らの司令室をボースに譲り、翌29日の天皇誕生日には、ペナンで手に入れた食材を用いたインド料理で、歓迎会が開かれた。

この命がけの船旅について、ドイツからボースに同行したアビド・ハサンは、後年こう語っている。Uボート艦員は終始友好的だったけれども、日本の潜水艦に乗った途端、故郷に帰ったような気がした。ボースも同じ思いだった。我々はすっかりくつろぐことができた。本当はもっと礼儀正しくすべきであった、と。

スマトラのサバンに上陸したボースは、艦員との記念写真に「この潜水艦で航行できたことは、非常に愉快でした。（中略）この旅が勝利と自由への道程の第一歩であったことが証明されることを信じます」と記して、寺岡大佐に手渡す。この後、ボースは空路で日本に向かい、5月16日、東京に到着した。

ボースの人柄に魅せられた東條首相

東條英機首相は当初、ボースのことをそれほど高く評価していなかったとされる。しかし、6月10日にボース本人と会談した東條は、たちまちその人格識見に魅了され、インド独立に向けて全面協力を約束する。以後、東條は自らの言葉が空手形ではないことを、昭和天皇にも評価されたその実直さで示していく。

6月16日の議会での施政方針演説で、東條は戦争完勝によるアジア解放を高らかに謳(うた)う。いわゆる大東亜宣言である。東條は大東亜共栄圏外のインドにあえて言及し、こう断言した。

「帝国はインド民衆の敵たる米英の勢力を、インドより駆逐し、真に独立インドの完成のためあらゆる手段を尽くすべき牢固たる決意を持つてゐる」

ボースは、この世界に明らかにされた日本のインド独立支援宣言を議場で直接聴いた後、6月19日に満を持して公然と姿を現わし、全世界に向けてアピールを行なう。

ただし、新聞記者との共同インタビューで「インド人の対日観念が支那事変勃発によって若干悪化したことは事実」と述べるなど、ボースは日本の支援に感謝しつつ、決して日本に迎合するような態度をとらなかった。

大東亜戦争の二面性という見方は、大甥のハーバード大教授スガタ・ボースにも引き継がれている。日本は中国では欧米同様の植民地支配者だった一方、インドを含む東南アジアでは、欧米帝国主義に対する畏怖(いふ)の念を打ち破り葬り去るうえで、重要な役割を果たした。中国侵略が嘆かわしいことであっても、「ボースにとって意味を持っていたのは、東南アジアで、日本が英国や他の欧米植民地支配を根底から覆(くつがえ)したことであった」。

ボースは東京での会見後、間を置かずに、中村屋のボースらと昭南（シンガポールの日本名）に飛ぶ。その地でボースは、7月4日に中村屋のボースから正式にIILリーダーの地位を移譲され、翌5日、INA最高司令官就任記念の大閲兵分列式に臨む。ボースは悲願だったインド人の軍隊を手にした。

崩壊の危機にあったINAはボースの下、一致団結して再スタートを切る。「チェロ・デリー（デリーへ）」、インド解放の戦いが始まった。

東條のボース支援はさらに続く。10月に自由インド仮政府を樹立し、首班となったボースは、英米に宣戦布告し、11月5日から2日間行なわれた大東亜会議に、中国、タイ、満洲国、フィリピン及びビルマの代表者とともに、陪席者として出席した。主筆緒方竹虎が朝日新聞紙上（11月7日付朝刊）で「画期的といふ言葉は、大東亜会議のために特に用意された形容詞の如くであつた」と評した会議で、東條は、アンダマン及びニコバル諸島を自由インド仮政府に帰属させることを表明した。ボースは軍隊とともに、わずかとはいえ領土も手にしたのだ。

東京裁判史観に従えば、大東亜会議は日本の侵略を覆い隠すための茶番劇ということになるのだろう。しかし、ボースはそこで表明された、共存共栄、独立親和、文化昂揚、経済繁栄、及び世界進運貢献の五大原則からなる「大東亜共同宣言」を単なる建前ではなく、真に画期的なものと捉えていた。

大甥のスガタ・ボースも、共同宣言が日本の完全に利他的動機に基づくものではなかったにしても、戦後にネルーが推進した平和五原則に先行するものだと公平に記している。なお、日本も含めアジア・アフリカ諸国が参集した1955年のバンドン会議では、五原則を拡大した平和十原則が採択された。

インパール作戦は、はたして愚かな戦いだったのか

インパール作戦といえば、日本軍の数ある戦いのなかでも、最も悪名高いもののひとつである。確かに、おびただしい人命損失をもたらした補給軽視と指揮の混乱については弁護の余地はない。

しかし、そもそも戦局がすでに日本軍に不利になった1944年の段階で、あらたにインドに攻め入るという発想自体が戦略的思考欠如の表われ、という批判は必ずしも当たっていない。

インパール作戦を「チェロ・デリー」すなわちインド独立に向けた重要な第一歩として、誰よりも熱心に推進したのは、チャンドラ・ボースであった。だからこそ、ボースの忠実な支援者東條は、作戦に積極的だったのである。

国塚が述懐しているように、ボースは「日本の勝利など、とうていおぼつかなく、ボースのいちばんの関心事であるインド侵攻作戦を、日本が負けないうちにすすめさせて、迅速にケリをつけなければならないと、ひそかに決意を固め」ていたのだ。

残念ながら、インパール作戦に関する著作のほとんどは、同盟軍ＩＮＡの存在を無視するか、言及するにしても、弱体かつ小勢力で英軍側への寝返りが目立ったとして、極端に過小評価するかのどちらかである。

しかし、大甥スガタ・ボースが、そのボース伝で「自由の戦い（Freedom's Battle）」として描いたインパール作戦は、そうした通説とは全く異なる。スガタは日本軍とＩＮＡに勝機があったことを否定していない。

英軍の秘密報告は、ＩＮＡの役割を重視しており、インド防衛上の脅威と認識していた。また、劣勢にあっても、ＩＮＡインド兵の英インド軍への寝返りは極めて限定的なものにとどまったのみならず、逆に英インド軍からＩＮＡへの投降が頻出していた。

もし、日本軍とＩＮＡが初期の攻勢をいま少し継続できていれば、ボースが確信していたように、英国側からのインド兵寝返りが洪水のように生じ、英インド軍第14軍は崩壊したかもしれない。こうしたインド兵大量投降の可能性は、決して根拠なきものではない。実際、藤原率いるＦ機関が、マレー半島で実現させたことなのである。

結果的にインパール作戦そのものは失敗に終わった。そして、日本は１９４５年８月15日にポツダム宣言を受諾し、降伏する。以前から米ソ対立の激化を予想していたボースは、インド独立の戦いを継続するため、ソ連行きを決意する。８月17日、ボースは台北経由でまず満洲へ向かうべく、バンコクから飛び立つ。

ところが翌日、離陸時の事故で、ボースは48年の生涯を台北で終える。遺骨は日本に運ばれ、今も東京（杉並区）の蓮光寺（れんこうじ）にある。

しかし、ボースのインパールからデリーという見通しは正しかった。日本軍とともにＩＮＡが英インド軍と本格的戦闘を行なったことが、インド独立を決定付けたのである。インパール作戦は、アジアの解放という大戦略に不可欠な戦いだったのだ。

日本の敗戦後に実現した「チェロ・デリー」

復讐に燃える英インド軍は、日本軍が降伏するや否や、早くも1945年9月8日に、シンガポールのINA記念碑をダイナマイトで爆破する。

1945年11月、INA将兵を反逆者として裁くデリーの英軍事法廷は、「謀略」工作の責任者として死を覚悟していた藤原を、戦犯ではなく証人として召喚する。その時の心境を藤原はこう語っている。

わがインド工作は、単なる謀略ではない、陛下の大御心（おおみこころ）に添い、建国の大理想を具現すべく、身をもって実践したものであることを強調しなければならぬと思った。またIILやINAの盟友は、もっとも清純な祖国愛に基づき、自主的に決起したもので、断じて日本の傀儡でなかったことを立証しなければならぬと考えた。これが盟友に対する盟義を果たす唯一の道であると思い定めた。

侵略戦争を行なった日本にも、アジア解放を信じる藤原のような理想主義者が存在し、独自に工作を行なったという理解は正しくない。インド独立支援は、日本の国策として行なわれたのである。とはいえ、当時の藤原は孤立無援であった。

私の最もわびしく思ったことは、次のことであった。そもこの工作は、軍は勿論、国を挙げて展開された工作である。汪精衛（おうせいえい）工作に匹敵する大工作であった筈である。しかるに終戦、戦犯追及がささやかれるようになると、分けて私がこの度の召喚に接してからは、軍中央関係者の誰一人として、国のため、進んでその責を負い、わが国の本工作に対する所信を明かにしようとする人士が見られなかったことである。のみならず、この工作は一少佐の藤原がやった仕事だと云わんばかりに、かかわりを回避するかの冷たい風さえ看取された。

しかし、インド人は、メジャー・フジワラの尽力を忘れてはいなかった。藤原は現地の子供たちからサインを求められ、監視の警備兵からも賓客のように扱われる。しかも、インド人たちの藤原への挨拶（あいさつ）は、決まってＩＮＡの合言葉「ジャイ・ヒンド（インド万歳）」

であった。

ＩＮＡとインド国民が、形を変えたインパール作戦、「チェロ・デリー」「チェロ・デリー」の戦いに総決起しているのだ。大東亜戦争は、日本の敗戦の一幕では終わっていないのだ。まだ続いているのだとさとった。

英国政府は、英インド軍の本拠であるデリーのレッドフォート（赤い城）において、ＩＮＡ将兵を見せしめのために厳刑に処し、大英帝国の権威を誇示して、インド支配を再度確立しようとする。まず、ヒンズー、ムスリムそしてシーク教徒から一人ずつ計３人の将校が被告に選ばれた。

ところが、英国側の予想をはるかに超える規模で、ＩＮＡ将兵こそインド独立のために戦った愛国者であるという声がインド中を席巻し、各地で反英独立抗争が激化する。英国政府は恐れをなし、一旦、３人に無期刑を宣告したものの、即座に執行停止とした。事実上の無罪放免である。結局、英国は裁判断念に追い込まれ、２万人の「反逆者」すなわち元英インド軍出身ＩＮＡ将兵は全員釈放された。

さらに、これまで常に英国人指揮官に忠実であったインド水兵の反乱まで起こり、1946年3月7日にデリーで行なわれた対日戦勝記念式典は、インド人に完全にボイコットされ、抗議のデモで大混乱となる。

大英帝国の威信は地に墜ち、1947年8月15日、インドは独立した。ボースが文字どおり命をかけた使命が達成されたのだ。

インド独立をもたらした聖者と戦士

ＩＮＡ裁判が英国の完敗に終わった後、本人が予期していたとおり、藤原は戦犯として拘束され、シンガポールに護送される。Ｆ機関工作の全責任は自らにあるとして、正々堂々と尋問に対峙した藤原は、戦場に続いて英国人を圧倒し、無罪放免となり、日本に帰国した。

その後、陸上自衛隊で第一師団長まで務めた藤原は、退役後に「破邪顕正（はじゃけんしょう）」と記された箱に入った日本刀を、インドに届ける。それは、頭山満（とうやまみつる）から日本滞在中のチャンドラ・ボースに贈られたものの、日本に残されたままになっていたものだった。ボースの故郷コルカタで行なわれた返還式で、藤原は官民を挙げた大歓迎を受け、この刀はボース本人に代わって、デリーのレッドフォートに凱旋(がいせん)した(名越二荒之助(なごしふたらのすけ)編『世界に開かれた昭和の戦争記念館 第4巻』)。

大英帝国は、ガンジーの非暴力運動に道徳的に圧倒され、インドから自主的に撤退したのではない。日本の支援の下、ボースがINAを通じて示した、インド人が持つ物理的強制力への恐れが、英国をインドから叩き出したのだ。

ガンジーは、インド独立を半年後に控えた1947年2月25日に、こう語っている。

ネタージ[ボース]は、そのインドへの貢献によって永久に不滅である。

インド独立はガンジーとボース、聖者と戦士の共同作業であった。暴虐な英国の植民地支配から脱し、独立を勝ち取るうえで、大東亜戦争にはなにがしかの肯定的側面があったというのが、インド人の冷静な歴史観である。華僑を除く東南アジアの人々も同様であろう。大東亜戦争全否定は、ある意味、欧米植民地支配正当化と表裏一体の関係にあるともいえる。

「陛下の大御心に添い」インド独立に尽力した藤原を、占領下の日本政府が見捨てたことを強く非難することはできない。それが戦争に負けるということなのだから。

しかし、先の大戦にはアジア解放の側面もあったことを、インド人は主張できても、今に至るも日本人にはできないとすれば。

インドは独立したけれども、日本占領は、いまだ終わっていないのだろうか。

Ⅱ 「コミンテルンの陰謀」説の真偽

第5章 「コミンテルンの陰謀」は存在したか

レーニンに比べたら我々は皆ひよっこだ
ヨシフ・スターリン

「コミンテルン陰謀史観」をめぐる議論

20世紀前半の日本の歴史に、ソ連と共産主義が多大な、場合によっては決定的影響を与えたとする歴史認識は、保守言論界において根強いものがある。

それによれば、支那事変は、日本軍を中国に釘付けにして国民党との戦いで疲弊させ、弱体化を図ることで「北進」を妨げ、ソ連を間接的に防衛するとともに、国民党に追い詰められていた中国共産党を助けるために、国内外のコミンテルンの工作員が策動して、始められたとする。そして、度重なる日本からの停戦の試みを妨害することで、日本に何の益もない泥沼の戦いを強いた。

さらに、日本が東南アジアへの「南進」から、米国との戦争に至った背後にも、ソ連を日本の攻撃から守り、日本を対米戦に仕向けて敗北させ、その混乱に乗じて共産主義革命を成就するという謀略があった。

一方で、そんな議論は妄想にまみれた「コミンテルン陰謀史観」である、と切って捨てる論者もいる。いや、こちらのほうこそ、日本の歴史研究の「王道」のようである。

コミンテルン（第三インターナショナル）の陰謀ないしは謀略は、本当に実在したのであろうか。

そもそも、ソ連がヨシフ・スターリンの治下にあった時代、ごく少数のトロツキストなどを除けば、スターリンと別の意思を持った共産主義者の組織など、世界中のどこにも存在しなかった。コミンテルンも諜報機関も、はたまた日本を含む各国共産党も、すべてスターリンの手駒に過ぎなかった。「コミンテルン」という単語を用いることは、スターリン時代の共産主義の本質を見えにくくする。したがって、前述のような歴史観は、「コミンテルン陰謀史観」ではなく、「スターリン（ソ連あるいは共産主義）陰謀史観」と呼ぶべきであろう。

米露の著名なソ連研究者アーチ・ゲッティとオレグ・ナウーモフが指摘しているように、スターリン以下、共産党幹部は、１９１７年の10月革命とその後の権力掌握という成功体験から、自らが歴史の産婆役であることを確信し、共産主義の理想とその実現に、自分たちが不可欠であることを、本当に信じていた。自分たちの政策が誤っていると想像することなど、心底不可能だったのである。もし思わしくない事態が生じたら、それは彼らの無私の努力を妨害する「陰謀に満ちた『闇の力』」（conspiratorial “dark forces”）が働いているに違いないのだ（ゲッティ、ナウーモフ編『大粛清への道』）。

ウラジミル・レーニンの指導下、10月革命を成功させ、その死後、スターリンに率いられた共産主義者は、「反共資本主義陰謀史観」の虜であった。当然ながら、この「労働者階級の前衛」たちは、相手が邪悪な陰謀をしかけてくる以上、それに対抗せざるをえない。しかも、全世界共産化という自らの理想は絶対に正しいのだから、謀略や陰謀はもちろん、虚偽宣伝、破壊工作、テロに至るまで、どのような手段も許される。

共産主義者が世界共産革命実現を目指すうえで、謀略工作あるいは陰謀を主要な手段のひとつとしていたことは、否定できない事実である。近年、世界各国で進められている、ソ連崩壊後の資料公開に基づく研究が、そのことを疑問の余地なく明らかにした。検討すべき問題は、もはやその存在の有無ではなく、実際にどのように行なわれ、どれだけ有効に機能したか否かである。

この時代の共産主義者による数々の謀略工作あるいは陰謀については、すでに日本でも多くの文献がある。しかし、これまでの議論では、個々の事例に焦点を絞ったものが多く、レーニン及びスターリンという謀略工作の最高責任者の言動そのものが取り上げられることは、比較的少なかった。

そこで、ここではソ連共産党による政権奪取直後から、1939年9月の第二次大戦（欧州戦線）勃発までの、対日本を中心とするソ連外交と世界史の流れを、レーニン及びスターリン自身の言葉に沿いながら見て行きたい。

レーニンの世界戦略を示した「基本準則」

レーニンは1920年12月6日の「ロシア共産党（ボ）モスクワ組織の活動分子の会合での演説」で、全世界で共産主義が最終的に勝利するまでの「基本準則（правило основное）」というものが存在すると主張した（『レーニン全集第31巻』マルクス＝レーニン主義研究所訳)。

二つの帝国主義のあいだの、二つの資本主義的国家群のあいだの対立と矛盾を利用し、彼らをたがいにけしかけるべきだということである。われわれが全世界を勝ちとらないうちは、われわれが経済的および軍事的な見地からみて、依然として残りの資本主義世界よりも弱いうちは、右の準則をまもらなければならない。すなわち、帝国主義のあいだの矛盾と対立を利用することができなければならない。

このくだりは、コミンテルン謀略史観の嚆矢(こうし)というべき、1950年に出版された三田(みた)村武夫(むらたけお)の『戦争と共産主義』にも引用されている。ただし、レーニンがこの演説で、資本主義社会において共産主義者が「利用すべき根本的対立」として挙げた以下の部分は、日本国内ではそれほど話題になっていないようである。

第一の、われわれにもっとも近い対立——それは、日本と米国の関係である。両者のあいだには戦争が準備されている。両者は、その海岸が三〇〇〇ヴェルスタ［キロメートルとほぼ同じ」もへだたっているとはいえ、太平洋の両岸で平和的に共存することができない。（中略）地球は分割ずみである。日本は、膨大な面積の植民地を奪取した。日本は五〇〇〇万人の人口を擁し、しかも経済的には比較的弱い。米国は一億一〇〇〇万人の人口を擁し、日本より何倍も富んでいながら、植民地を一つももっていない。日本は、四億の人口と世界でもっとも豊富な石炭の埋蔵量とをもつ中国を略奪した。こういう獲物をどうして保持していくか？　強大な資本主義が、弱い資本主義が奪いあつめたものをすべてその手から奪取しないであろうと考えるのは、こっけいである。（中略）このような情勢のもとで、われわれは平気でいられるだろうか、そして共産主義者として、「われわれはこれらの国の内部で共産主義を宣伝するであろう」というだけですまされるであろうか。これは正しいことではあるが、これがすべてではない。共産主義政策の実践的課題は、この敵意を利用して、彼らをたがいにいがみ合わせることである。そこに、新しい情勢が生まれる。二つの帝国主義国、日本と米国をとってみるなら――両者はたたかおうとのぞんでおり、世界制覇をめざして、略奪する権利をめざして、たたかうであろう。（中略）われわれ共産主義者は、他方の国に対抗して一方の国を利用しなければならない。（中略）

もう一つの矛盾は、米国と、残りの資本主義世界全体との矛盾である。（中略）米国はすべての国を略奪し、しかも非常に独創的な仕方で略奪している。米国は植民地をもっていない。英国は戦争の結果、膨大な植民地を手に入れたし、フランスも同様である。英国は、強奪した植民地の一つにたいする委任統治（中略）を米国に提供したが、米国はそれを受けとらなかった。（中略）しかし、この植民地を他の国々が利用するのを彼らが容認しないことは、明らかである。（中略）

第三の不和は、協商国［連合国］とドイツとのあいだにある。ドイツは敗戦し、ベルサイユ条約でおさえつけられているが、しかし巨大な経済的可能性をもっている。（中略）このような国にたいして、同国が生存していけないようなベルサイユ条約が押しつけられているのである。ドイツはもっとも強大で、先進的な資本主義国の一つであって、ベルサイユ条約を耐えることはできない。だから、ドイツは、それ自身帝国主義国でありながら、圧迫されている国として、世界帝国主義に対抗して同盟者を探しもとめなければならない。

歴史は第二次大戦まで、ほぼこのレーニンの基本準則に従って推移した。「自然」とそうなった、あるいはレーニンの「科学的社会主義」に基づく「歴史の発展」予測が正しかったのではない。レーニンの「遺言」を継いだスターリンが、そのように仕向けたのである。

後継者スターリンの雌伏期

１９２３年のドイツでの武装蜂起失敗が象徴するように、欧州赤化の可能性が遠のくと、レーニンの後釜に座ったスターリン主導の下、ソ連は内向きになったかのように見えた。いわゆる一国社会主義路線である。しかし、それは来るべき「資本主義国」、すなわちソ連以外の国々との対決に備えた臥薪嘗胆の時期であった。ソ連の第１次及び第２次５カ年計画では、軍備増強がすべてに優先した（デービッド・ストーン『ハンマーとライフル』）。

もちろん、臥薪嘗胆とはいえ、共産主義者による破壊工作は続いていた。コミンテルンは１９２８年に、そのものずばり『武装蜂起（Der bewaffnete Aufstand）』と題する各国共産主義者に向けた「実用的」教科書を編集し、偽名で発行している。執筆者はホー・

チ・ミンや後に粛清される赤軍の「ナポレオン」ミハイル・トハチェフスキーをはじめ、錚々（そうそう）たる顔ぶれであり、失敗に終わった中国共産党による1927年の広東（カントン）蜂起や、上海（シャンハイ）自治政府樹立の事例も詳細に分析されている。

そして、スターリンが決してレーニンの基本準則を忘れたわけではないことは、1925年1月19日、「ロシア共産党（ボ）中央委員会総会での演説」を見ればわかる（『スターリン全集第7巻』スターリン全集刊行会訳）。いずれ必ず来る戦争を前に、共産主義者はどう行動すべきか。

そのような情勢にたちいたったさい、われわれがぜひともだれかにたいして積極的な行動をおこさなければならないということを意味しない。（中略）われわれの旗は、依然としてこれまでのように**平和の**旗である。しかし戦争がはじまれば、手をこまねいているわけにはいかないであろう、——われわれは、のり出さなければならないであろう、もっとも、いちばんあとでのり出すのであるが、われわれは秤皿（はかりざら）に決定的なおもりを、相手かたを圧倒しうるような**おもり**を、なげいれるためにのり出すであろう。

資本主義国が内ゲバで弱ったところに、最後の一撃を加えて世界革命を完遂するという大原則に、最初からスターリンほど忠実な革命家はいなかったのだ。スターリンは「最後の一撃」だけではなく、資本主義列強を弱らせる「内ゲバ」も仕掛けていた。

スターリンに翻弄される日本

満洲での日中間の紛争がたけなわだった1932年6月12日（より以前）、スターリンは側近の政治局員ラーザリ・カガノヴィッチに、日本に対して英米とは異なり、必ずしも満洲国承認の可能性を否定せず、曖昧（あいまい）な態度を取るとともに、米国への接近――1933年に国交樹立――を指示する。日米対立の利用である（『スターリン・カガノヴィッチ書簡集』）。

政治局は、国際関係において最近生じた大きな変化を考慮に入れていないようだ。そのなかで最も重要な変化は、中国では日本にとって有利に、欧州では（とくにフォン・パーペン〔独首相〕への権力移行後〕フランスにとって有利に、米国の影響力が低下しはじめたことである。これはきわめて重要な情勢だ。これに応じて、米国はソ連との連携を模索するだろう。そして、すでにそれを求めている。その一つの証拠が米国で最も有力な銀行の一つ〔ニューヨーク・ナショナル・シティー銀行〕の代表ランカスターの訪ソだ。この新しい情勢を考慮に入れよ。

そのすぐ後の1932年6月20日には、カガノヴィッチと首相ヴャチェスラフ・モロトフに、今度は日中対立を利用して、日ソ不可侵条約締結を目指すよう指示する。

もし日本が実際に条約に動きだすとしたら、おそらくそうすることで、どうやら日本が真剣に信じていると思われる、我々の対中条約交渉を頓挫させることを望んでいるからだ。だから、我々は中国との交渉を打ち切るべきではないし、逆に、我々の対中接近という見通しで日本を脅かして、それによってソ連との条約調印に日本を急き立てるために、対中交渉を継続して長引かせる必要がある。

この時は見送られたものの、日本は独ソ開戦の直前、１９４１年４月に、日ソ中立条約を締結する。バルト三国、フィンランド、ポーランドなど、不可侵条約を結んでおいて、侵略——スターリンから見れば、解放——するのがソ連の常套手段であり、もちろん、日本も例外ではなかった。

満洲国との領事交換に同意するなど、米国とは異なり、表向きは対日宥和のポーズをとりつつ、１９３３年10月21日、スターリンは反日キャンペーン強化を指示する。

> 私が見るところ、日本に関し、また総じて日本の軍国主義者に敵対する、ソ連及びその他全ての国々の世論の、広範で理にかなった（声高ではない！）準備と説得を始める時がきた。（中略）日本における習慣、生活、環境の、単に否定的なだけではなく、肯定的側面も広く知らしめるべきである。もちろん、否定的、帝国主義的、侵略的、軍国主義的側面をはっきり示す必要がある。

実際、10月26日から共産党機関紙プラウダで、反日プロパガンダ記事が次々と掲載される。「肯定的側面も」というところが、さすがにプロの謀略家である。それにしても、具体的にパンフレットの名前（『日本における軍国ファシスト運動』）まで挙げるなど、その指示の細かさには驚かされる。日本の「アジア侵略の青写真」として喧伝された偽造文書「田中上奏文」が世界中で急速に浸透した背景に、こうした日本重視のブラック・プロパガンダ戦略があったことは間違いないだろう。

しかし、スターリンを激怒させる事件もあった。朝鮮人を使った満洲での対日テロ活動が露呈したのである。スターリンは1932年7月2日（より以前）、カガノヴィッチに当事者の厳罰を命じる。

さる朝鮮人爆破工作員たちの逮捕とこの事案への我が組織の関与は、日本との紛争を誘発する新たな危険を作り出す（あるいはしかねない）。ソビエト政権の敵以外、いったい誰がこんなことを必要とするのか。必ず極東指導部に問い合わせて、事態を解明し、ソ連の利益を害した者をきちんと処罰せよ。このような醜態はもう許さない。（中略）この紳士たちが、我々の内部にいる敵のエージェントである可能性は高い。

ここにも、スターリンの「反共資本主義陰謀論」が表われている。自国諜報機関が工作に失敗すると、内部に侵入した敵の仕業に違いないと考えるのである。

ところで、日本ではソ連スパイというとリヒャルト・ゾルゲを過大視する傾向があるけれども、実際には、ゾルゲは数あるスパイの一人に過ぎない。黒宮広昭（くろみやひろあき）インディアナ大教授も指摘しているように、支那事変が勃発した1937年夏の時点で、日本と満洲国には2000人の明らかなスパイと、5万人のエージェント（本人に自覚がない場合も含む）がいると日本政府は見ていた（『ジャーナル・オブ・スラヴィック・ミリタリー・スタディーズ』（以下、『スラヴィック』誌）第24巻第2号）。ヴェノナ文書（第7章参照）が明らかにした、米国でのソ連スパイ活動の規模から考えて、この数字は日本の治安当局の誇大妄想とはいえない。

支那事変に至るまでの共産主義者の策動については多くの文献があるので、ここでは繰り返さない。支那事変以降のスターリンの対日政策については、黒宮教授の表現を借りれば、以下のようにまとめられる。

「スターリンの目的は、日本を可能なかぎり弱体にし、ソ連から遠ざけておくことにあった。これは要するに、日本を中国に釘付けにし、その侵略を米英に向けさせるということである。結局、日本は、その後数年して、まさにそのとおりに行動することとなった」。

なお、本書では、当時の公式名称に従い、1937年から1941年の日中の戦いは「支那事変」、1941年から1945年の対連合国の戦争は「大東亜戦争」と表記している。

スターリンの高笑い

スターリンに翻弄される日本とは対照的に、我が国の対ソ政策はソ連側に筒抜けであった。ロシア人と結婚してスパイとなった外交官泉顕蔵(いずみこうぞう)を通じ、ソ連は外交暗号解読書(code book)を入手していたのである。

盧溝橋(ろこうきょう)事件発生翌月の1937年8月、ソ連は国民政府と、日本を念頭に置いた不可侵条約を結び、日本軍が中国で泥沼に陥ることで、ソ連に目が向かなくなるよう、大規模な軍事支援を行なう。スターリンは11月18日、楊杰(ようけつ)上将(のちに駐ソ大使)が率いる中国代表団に、ソ連だけでなく、米国やドイツからの武器調達の必要性を説き、さらには「信用ならない」英国との連携にも努めるよう促した後、次のような踏み込んだ発言を行なっている（『20世紀露中関係第4巻第1分冊』）。

> ソ連は現時点では日本との戦争を始めることはできない。中国が日本の猛攻を首尾よく撃退すれば、ソ連は開戦しないだろう。日本が中国を打ち負かしそうになったら、その時ソ連は戦争に突入する。

ソ連参戦が蔣介石（しょうかいせき）政権を助けるためではなく、日中が疲弊しきったところで、両者に最後の一撃を加えるためであることはいうまでもない。

スターリンはさらに1939年7月9日、蔣介石にこう語った（『中華民国重要資料初編第3編（2）』）。

> 今まで二年続いた中国との勝てない戦争の結果、日本はバランスを失い、神経が錯乱し、調子が狂って、英国を攻撃し、ソ連を攻撃し、モンゴル人民共和国を攻撃している。この挙動に理由などない。これは日本の弱さを暴露している。こうした行動は、他の全ての国を一致して日本に敵対させる。

まさに、スターリンの高笑いが聞こえてくるかのようである。日本が対米英中のみならず、ソ連に対しても侵略を着々と準備したうえで戦争を始めたという東京裁判史観は、とりわけスターリンにとって片腹痛い、戦前の日本に対する「過大」評価である。１９３８年2月7日、日本について国民政府立法院長孫科（孫文の子）に、スターリンが語った次の言葉の方が、真実に近いであろう。

歴史というのはふざけるのが好きだ。ときには歴史の進行を追い立てる鞭として、間抜け（Aypaк）を選ぶ。

戦争挑発に舵を切るスターリン

極東及び欧州で風雲急を告げるなか、共産党中央委員会名で１９３８年に刊行された『ソ連共産党小史』に見られるように、スターリンは、ヒトラー政権成立を受けた民主主義対ファシズムという構図に基づく人民戦線路線から再度転換し、共産主義と資本主義の対立を前面に打ち出す。

『共産党小史』刊行を受けたプロパガンダ担当者会議開催中の1938年10月1日、スターリンは大演説を行なう（『イストリーチェスキー・アルヒーフ』第5巻）。以下はその一部である。

戦争の問題に関するボルシェビキの目的、全く微妙なところ、ニュアンスを説明する必要がある。それは、ボルシェビキは単に平和に恋い焦がれ、攻撃されたときだけ武器を取る平和主義者ではないことだ。それは全く正しくない。ボルシェビキ自らが先に攻撃する場合がある。戦争が正義であり、状況が適切であり、条件が好都合であれば、自ら攻撃を開始するのだ。ボルシェビキは攻撃に反対しているわけでは全然ないし、全ての戦争に反対してもいない。今日、我々が防御を盛んに言い立てるのは、それはベールだよベール。全ての国家が仮面をかぶっている。「狼の間で生きるときは狼のように吠えねばならぬ」（笑）。我々の本心を全て洗いざらい打ち明けて、手の内を明かすとしたら、それは愚かなことだ。そんなことをすれば間抜けだといわれる。（中略）

実は、レーニンは資本主義の跛行的発展状況の下、個々の国での社会主義の勝利が可能である、なぜなら跛行的発展つまり遅れる国がある一方、先に進む国があるのだから、と教えてくれただけではなく、レーニンはまた、ある国は遅れる一方、別の国は先に進み、ある国は努力する一方、別の国はもたもたするので、同時の一撃は不可能だという結論にも達していたのだ。（中略）

異なった国の間で社会主義への成熟度合いが異なっており、この事態に直面して、全ての国で同時に社会主義が勝利する可能性があるなどと、どうして言えるのか。全くばかげている。そんなことはかつても不可能であったし、今日においてもあり得ない。どういうわけか、この観点を隠して、個々の国で社会主義の勝利が可能であることだけに言及するのは、レーニンの立場を完全に伝えていない。

革命家スターリンの面目躍如たる発言である。レフ・トロツキーのような世界同時革命論ではなく、機が熟した、正確には熟すよう仕向けた国から、徐々に武力で共産化していくという自らの方針こそ、レーニンに忠実な真の世界革命への道であるという強い自負が示されている。

さらにスターリンは、1939年3月10日の第18回共産党大会における報告でも、社会主義すなわちソ連と資本主義の対立という構図を前面に出し、英仏を念頭に自らの立場を明確にした（『スターリン著作集第一巻』フーバー研究所）。

慎重を旨とせよ、そして、他人に火中の栗を拾わせる（загребать жар чужими руками）ことを常とする戦争挑発者が、我が国を紛争に引っ張り込むことを許してはならない。

5カ年計画による軍備増強で世界最大の軍事強国となり、大粛清で独裁体制を完全なものにしたスターリンは、この頃から資本主義国間の対立をさらに激化させ、戦争を煽るべく行動を開始する。

共産党大会直後に起こったドイツのチェコ併合にも、ソ連は形式的抗議を行なっただけで、英仏の宥和政策から強硬姿勢への転換とは好対照をなした。英独対立が深刻化するなか、1939年5月、スターリンは、英国人を妻とし英米仏で受けがよかったユダヤ人マクシム・リトヴィノフ外相を解任し、首相のモロトフに外相を兼務させ、独ソ連携の動きを加速させる。

実は、ソ連は驚くべき方法で、独ソ接近を日本に伝えていた。リトヴィノフは解任される前、東郷茂徳駐ソ大使の妻エディートに、次のように直接伝えていたのだ。自分は、大島浩駐独大使主導の日独伊軍事同盟は独伊の意向で失敗することを、正確に知らされており（genau unterrichtet）、独伊はソ連との関係を整えよう（Verhältnis zu arrangieren）としている、と。

なんと、エディートはこの国家機密をドイツ大使館ナンバー2のヴェルナー・フォン・ティッペルスキルヒ参事官に、絶対口外しないという約束で（unter dem Siegel tiefster Verschwiegenheit）漏らしていた。ティッペルスキルヒは直ちにドイツ本国政府に報告している（１９３９年3月20日付独公文書）。

ティッペルスキルヒは、リトヴィノフの発言を、日本への圧力（Druck）であり、当時進行中の日ソ漁業交渉における日本側の強硬姿勢への対抗（Gegengewicht）と見ていた。一方、東郷大使夫人の行動が、どのような意図に基づくのか、夫である東郷大使の指示によるものなのか、それとも独断だったのか、筆者には不明である。

ノモンハン・張鼓峰(ちょうこほう)におけるスターリンの謀略

スターリンが欧州で英独対立をけしかけていたのと同じ時期、極東ではノモンハン事件が勃発する。前述の黒宮教授は、綿密な資料調査に基づき、従来の議論とは根本的に異なるこの事件の背景を、2011年に発表された論文「1939年ノモンハンの謎」で明らかにした（『スラヴィック』第24巻第4号）。なんと関東軍の第23師団長小松原道太郎(こまつばらみちたろう)中将が、ソ連のエージェントだったというのである。

黒宮教授は、まず1937年3月3日に行なわれたスターリンの演説から始める。

戦争時に戦闘で勝利するには何軍団もの赤軍兵士が必要であろう。しかし、前線でのこの勝利を台無しにするには、どこか軍司令部あるいは師団司令部でもいい、作戦計画を盗んで敵に手渡す数名のスパイがいれば十分だ。

したがって、「ハイラルに小松原がいることは、日本の行動を挑発し、厳しい軍事的教訓を与えるのに絶好の機会であった。これこそスターリンが考えていたことだったように思える」。

スターリンの狙いはずばり当たった。「ノモンハンは、ソ連に敵対する北方ではなく、米英蘭の権益に敵対する南方に向かうという、その後の日本の決断に、決定的影響を与えた。ノモンハンは、日本の対ソ野望に対する、スターリンのとどめの一撃となったわけである。モスクワがノモンハンで攻撃を挑発したのだとしても、それに応じたのは日本の致命的誤りであった」。

最後に黒宮教授はこう締めくくる。「ノモンハンはスパイの重要性に関するスターリンの発言が正しいことを示した。小松原がいなければ、ノモンハンは起きなかったかもしれない。ソ連の勝利が保証されなかっただろうことは確かである。小松原のおかげで、そのとき赤軍は戦闘に勝利したように思える。もしそうでなかったならば、日本は全く実際とは違った戦略的行動を取ったかもしれない。二十世紀の歴史は違ったものになっていただろうし、ノモンハンの歴史自体、劇的に書き直さねばならないだろう」。

ロシア語専門の情報将校であった小松原は、ソ連大使館付武官時代、モスクワでハニートラップにかかり、それ以降、ソ連側に脅かされていた。同時期に駐在武官を務めた、海軍の小柳喜三郎（こやなぎきさぶろう）大佐は、同様にハニートラップにかかったものの、自らの不明を恥じ、1929年3月にモスクワの武官官舎で割腹自殺した。自殺の背景にスパイ工作があったことは、当時、朝日新聞（1929年4月4日付夕刊）でも報道されている。

小柳の自殺後、小松原は、何もなかったかのように振る舞い、昇進を重ね、1932年から1934年まで、ハルビンの特務機関長を務める。この時期、ハルビンではソ連への重要情報漏洩が相次ぐ。公開された旧ソ連機密文書によって、ソ連軍が一定の時期だけ、日本、中国及び満洲に関する、大量の政治軍事情報を得ていたことがわかっている。それが、1932年から1934年、つまり、小松原が特務機関長だった時期と一致しているのだ。

ノモンハン事件から1年以上経った、1941年の早い時期に、スターリンは、ノモンハンのソ連側司令官ゲオルギー・ジューコフに、なぜ13カ国語を操るカマツバラ将軍を殺害したのかと尋ねる。それに対し、ジューコフは、もし語学に堪能なことを知っていれば、命を救ったと答えていた。小松原が、戦死することなく、生き残ったことを、二人が知らなかったはずがない。帰国した小松原は、1940年10月6日、不可解な状況の下、「病死」していた。スターリンとジューコフの会話は、小松原の日本国内での死に、ソ連工作員が関わっていたことを示唆するようにもみえる。小松原に関しては確かな証拠がないものの、用済みのソ連スパイが、事故や病気に見せかけて殺害された例は多い。

状況証拠は限りなく「クロ」であることを示しているけれども、小松原師団長が、実際にソ連のエージェントとして、ノモンハンで活動したことを直接示す証拠は、現在、見つかっていない。旧ソ連時代の機密文書は、ボリス・エリツィン政権下で一部公開されたものの、現在では、アクセスすることができない。したがって、少なくとも当面は、刑事裁判で有罪にできるほど絶対的な証拠が出てくる可能性は、ほぼ皆無である。

米国在住の黒宮教授は、一般には日本であまり知られていないものの、ソ連政治研究の大家である。その業績を一部紹介すると、共産主義関連図書の出版では定評のあるイェール大出版局から出た、スターリンの大粛清を扱った『死者の声』は、ロバート・サービス、オックスフォード大名誉教授によって「画期的業績」と評された。また、一般読者向けに書かれた『スターリン』は、ノーマン・ナイマーク、スタンフォード大教授によって、「現在手に入る、スターリンに関する最善の簡潔な伝記」と評価された。近著（共著）『ユーラシア・トライアングル』では、日本とコーカサス（カフカス）の民族主義者が、大戦が終わるまで協力して行なった、反ソ活動が描かれている。

さすがに、いくら陰謀論が嫌いな日本の大先生たちといえども、この世界的研究者が提起した「小松原＝ソ連エージェント」説を、荒唐無稽（こうとうむけい）な議論と切って捨てるわけにはいかないであろう。

日米戦実現に向けたソ連の謀略といった場合、尾崎秀実（おざきほつみ）ら、日本の指導層に食い込んだ日本人エージェントたちを使った、南進論への政策誘導や、アメリカにおける「雪作戦」（第8章参照）が、通常、議論の中心を占める。その重要性は疑いないけれども、陸軍内に一種の対ソ恐怖症を植え付け、対ソ北進論の勢いを削（そ）いだノモンハン事件は、それらに匹敵する大きな意味を持つのではなかろうか。

実は、スターリンの直接的対日軍事挑発は、ノモンハンが初めてではない。ノモンハン事件の前哨戦ともいうべき、１９３８年7月に勃発した張鼓峰（ちょうこほう）事件もソ連側の挑発であり、ソ連軍のヴァシリー・ブリュヘル元帥が事件後に粛清されたのは、この作戦に反対していたためであったことが、２０１６年に、やはり黒宮教授によって明らかにされた（『スラヴィック』誌、第29巻第1号）。ノモンハン謀略説以上に証拠がそろっており、張鼓峰事件ソ連挑発説は間違いないと思われる。

スターリンの対日挑発はさらに遡（さかのぼ）ることができる。

この論文の冒頭で、黒宮教授は、1928年6月に奉天で張作霖が爆殺された事件について、「ある日本の自称実行犯（assassin）は説得力のある告白さえ残している。しかし、今では、この事件はソ連の念入りなカムフラージュに思える。ソ連の実行犯たちが張を殺害し、罪を日本人になすりつけたのだ」と述べている。

なお、黒宮教授はロシア語文献とともに、日本の学界主流からは無視されている加藤康男氏の『謎解き「張作霖爆殺事件」』を、事件の「最も詳細な分析」（the most detailed analysis）として参照文献に挙げている。

スターリンの謀略は、満洲事変の前から着々と進んでいたのである。

ヒトラーをけしかけるスターリン

1939年3月の共産党大会以降、欧州情勢は目まぐるしく変動する。ソ連のドイツへの態度は軟化したものの、国際連盟とポーランドの共同管理下にあるダンチヒ自由市――住民のほとんどがドイツ人――をめぐる争いで、イギリスの「白地小切手」を得た（と思った）ポーランドの強硬姿勢にあい、ヒトラーは袋小路に入り込む。スターリンに最後の望みを託し、より踏み込んだ独ソ連携を目指すものの、交渉はなかなかはかどらない。

スターリンはより大きな「獲物」を得るべく、ドイツと英仏を競い合わせ、天秤にかけていたのだ。スターリンの狙いは東欧への影響力拡大であった。英仏はドイツと対抗するため、東欧諸国の独立を犠牲にしてでも、ソ連との連携を図るべく秘密外交を繰り広げていた。しかし、スターリンの意を受けたモロトフは、次々と要求を吊り上げ、英仏とソ連の交渉は暗礁に乗り上げる。そうしたなか、8月に英仏軍事交渉団がモスクワに到着する。

一方、同時進行中の独ソ秘密交渉は、8月19日もドイツのフリードリヒ＝ヴェルナー・フォン・デア・シューレンブルク駐ソ大使とモロトフの会談が物別れに終わり、大使は帰路に就く。ところが外交儀礼上、異例なことに、モロトフは大使を再度クレムリンに呼びつける。そして、独ソ不可侵条約を締結するようソ連政府に「指示された（beauftragt、1939年8月20日付独公文書の表現）」と伝えたのである。首相兼外相モロトフに指示できる「上司」は、この世にひとり、スターリンしかいない。

一方、極東では翌20日、それまでの局地的小競り合いとは一線を画す、赤軍の大攻撃がノモンハンで始まり、日本軍は奮戦し、赤軍に大損害を与えたものの、自らも壊滅的打撃を受ける。スターリンは、独ソ交渉に直接携（たずさ）わったドイツ大使館員グスタフ・ヒルガーに、日本への敵意を隠さず、ノモンハンで日本軍を粉砕したことを、「ほとんどサディスティックな喜びをもって」、こう言い放った（ヒルガー他『相いれない同盟国』）。

> これこそ、アジア人が理解できる唯一の言葉なのだ。いずれにせよ、私もアジア人なのだから、知っていて当然だ。

8月23日、ドイツのヨアヒム・フォン・リッベントロップ外相とモロトフが、モスクワで独ソ不可侵条約に調印し、全世界に衝撃を与える。条約に付された東欧「分割」の秘密議定書でソ連の同意を得たドイツは、9月1日にポーランド攻撃を開始、ヒトラーの期待に反し、しかし、スターリンの思惑通り、直ちに英仏が対独宣戦布告を行なう。第二次大戦が始まった。

なぜ、スターリンは不倶戴天（ふぐたいてん）の敵であるはずのヒトラーと手を結んだのか。コミンテルン書記長ゲオルギ・ディミトロフの日記には、9月7日にスターリンがその動機を赤裸々に語った記録が残っている。

この戦争は二つの資本主義国家群（植民地、原料などに関して貧しいグループと豊かなグループ）の間で、世界再分割、世界支配をめぐり行なわれている。我々は、両陣営が激しく戦い、お互い弱めあうことに異存はない。ドイツの手で豊かな資本主義国、特に英国の地位がぐらつくのは、悪い話ではない。ヒトラーは、自らは気付かず望みもしないのに、資本主義体制をぶち壊し、掘り崩しているのだ。

権力を握った場合と反対勢力でいる場合とでは、共産主義者の態度は異なる。我々は自分の家の主人である。資本主義国における共産主義者は反対勢力であり、そこでの主人はブルジョアジーだ。

我々は、さらにずたずたに互いに引き裂きあうよう、両者をけしかける策を弄する(ろう)ことができる。不可侵条約はある程度ドイツを助けることになる。次の一手は反対陣営をけしかけることだ。

資本主義国の共産主義者は、自国政府と戦争に反対して、断固として立ち上がらねばならない。

この戦争が始まるまで、ファシズムとデモクラシー体制を対立させることは全く正しかった。帝国主義列強間の戦争時には、これはもう正しくない。資本主義国をファシスト陣営とデモクラシー陣営に区別することは、かつて持っていた意味を失った。この戦争は根本的変革を引き起こした。つい先日まで、統一人民戦線は資本主義体制下の奴隷の状況を和らげるのに役立った。帝国主義戦争という状況のもとでは、問題は奴隷制度の絶滅なのだ。今日、統一人民戦線や国民統一といった昨日までの立場を主張することは、ブルジョアジーの立場に陥ることを意味する。こうしたスローガンは撤回される。

かつて歴史的には、ポーランド国家は民族国家であった。それゆえ、革命家たちは分割と隷属化に反対して、ポーランドを擁護した。現在、ポーランドはファシスト国家であり、ウクライナ人、ベラルーシ人その他を抑圧している。現在の状況下でこの国を絶滅することは、ブルジョア・ファシスト国家が一つ少なくなることを意味するのだ。ポーランドを粉砕した結果、我々が社会主義体制を新たな領土と住民に拡大したとして、どんな悪いことがあるというのか。

我々は、いわゆるデモクラシー諸国との合意を優先し、交渉を続けた。しかし、英国とフランスは我々を下男にしようとし、おまけにそれに対して何も払おうとしなかった。我々はもちろん下男になりはしなかった。たとえ何も得られなくても。

9月16日に日ソ両国がノモンハン停戦で合意と発表された翌日の17日、モロトフはポーランドの駐ソ大使に、ポーランドはもはや国家として存在しないので、領内に住む「血の同胞」であるベラルーシ人とウクライナ人をソ連が保護せねばならないと通告し、赤軍が「越境」を開始する。こうして、「ファシスト国家」ポーランドで抑圧されていた人民は、スターリンによって「解放」された。

小松原師団長スパイ説に対しては、あまりに奇想天外だとして疑問を呈する向きもあるだろう。しかし、仮にスパイでなかったとしても、ここで示したように、ノモンハンと独ソ不可侵条約は、スターリンの戦略のなかで密接に関連していた。

ノモンハン事件と独ソ不可侵条約は、日本対米国とドイツ対英仏という、レーニンの基本準則に沿ってスターリンが演出した、ひとつのドラマとして理解する必要があるのだ。

スターリンの大誤算

そもそも自らが陰謀史観の持ち主であったスターリンは、陰謀や謀略工作を重視し、実際にも大きな成功を収めた。歴史はほぼレーニンの基本準則どおりに進んだのである。

まず、極東においては、スターリンの完勝といってよい。日本を中国での泥沼の消耗戦に引きずりこみ、ノモンハンで陸軍に対ソ恐怖症を植え付けたうえで、その後も、日本人エージェントを使った謀略を続け、日本の対外政策を反ソから反米英に向けさせることに成功する。それに呼応して、米国内でも、対日戦実現に向けたスターリンの工作が展開され、好都合なことに、ルーズベルト大統領という「パートナー」の存在もあって、スターリンの思惑どおり、日米は激突することとなった。

しかし、欧州では、スターリンの思いどおりに事態は進まなかった。英仏とドイツの戦争を実現させたものの、フランスの予想外の早期戦線脱落で計画が狂い始め、スターリンは、最後の段階で、ヒトラーに対ソ先制攻撃を許すという、決定的失敗を犯してしまった。資本主義国同士を戦争で疲弊させたうえで、最後にとどめを刺すつもりだったのに、ソ連は対独戦の主役を引き受けさせられ、第二次大戦参加国中、最大の犠牲を被る羽目になる。

スターリンの世界革命戦略は、結局、画竜点睛（がりょうてんせい）を欠く結果となり、漁夫の利を得たのは、他国に比べると圧倒的に少ない犠牲で、ソ連と並んでもうひとつの超大国となったアメリカであった。大戦で極度に疲弊したソ連は、その戦後を最初から大きなハンデを背負った状態でスタートせざるをえなかった。

結局、東西冷戦を経て最終的に勝ち残ったのは、ソ連共産主義ではなく、アメリカン・デモクラシーという、もうひとつのグローバリズムだった。

第6章　過去を直視しない人々

共産主義の終わりは何にも増して
人類へのメッセージなのだ
ヴァーツラフ・ハヴェル

過去を直視しないのは誰か

日本の負の過去を直視せず、逆に美化する「歴史修正主義者」として、安倍首相を批判することが、国内外の一部で流行(はや)っている。

ただし、過去への反省が足りないという批判は、戦後の為政者、つまり自民党政権に一貫して投げかけられてきた、今日では「リベラル」、かつては「進歩的」と呼ばれた知識人たちの決まり文句である。目新しいのは「修正主義」という、日本ではこれまであまりなじみのない、欧米直輸入の用語ぐらいであろう。

しかし、戦後の総理大臣は例外なく、先の大戦への反省を公にしてきた。安倍首相とて例外ではない。２０１５年８月に発表された戦後70年談話にも、次のような一節がある。

我が国は、先の大戦における行いについて、繰り返し、痛切な反省と心からのお詫びの気持ちを表明してきました。その思いを実際の行動で示すため、インドネシア、フィリピンはじめ東南アジアの国々、台湾、韓国、中国など、隣人であるアジアの人々が歩んできた苦難の歴史を胸に刻み、戦後一貫して、その平和と繁栄のために力を尽くしてきました。

こうした歴代内閣の立場は、今後も、揺るぎないものであります。

この程度では不十分ということなのかもしれない。それでは、保守政治家の「無反省」を批判する側、かつての進歩的文化人や、その弟子たちである今日のリベラル知識人は過去を直視しているのだろうか。彼らは、日本社会全体では少数派であっても、人文・社会科学系の学者の世界では、戦後一貫して主流をなしてきた人たちである。

生前、日本を代表するレトリック研究者だった香西秀信元宇都宮大教授は、戦時中に少年期を過ごした人たちから何度も聞かされた話に続けて、「ある種の人々が最も嫌がる嫌味」を述べている（『「論理戦」に勝つ技術』）。

戦争中、さながら軍国主義の権化のごとく「鬼畜米英」「一億総火の玉」を説いた大人たちが、八月十五日を境に突然「民主的」になり、「こんな馬鹿な戦争がうまく行くわけがないと思っていた」などとしたり顔で解説するのを聞いて、子供心ながら衝撃を受けたというのです。彼らは、その経験が、その後の彼らの人生観、ものの見方に決定的な影響を与えたと語っています。

じつは私も、似たような経験をしたことがあります。ソ連、東欧の社会主義諸国が崩壊したとき、かつては社会主義を賛美していた、少なくともシンパシーを感じていたはずの人たちが、ショックで発狂するかと思いきや、「あんな体制が長続きするはずがない」と涼しい顔で傍観していたことです。そして、この人たちとは、戦後の大人たちの変節に「衝撃を受けた」と私に話してくれた人たちです。

彼らは、一九六〇年代に「反革命」と呼んでいたものを、社会主義諸国崩壊の直前には「民主化」と呼び始めました。なるほど、彼らの少年時代の経験が、「その後の彼らの人生観、ものの見方に決定的影響を与えた」というのは本当のようです。自分たちが軽蔑した大人たちと同じ年齢になって、まったく同じ振る舞いをすることになってしまったのですから。自分たちの作った「物語」に復讐されたということでしょう。

ソ連が崩壊した途端、看板を「政治経済学」などに付け替えたマルクス主義者が反省しなかっただけではない。若干の距離を置きつつ、基本的には彼らの同調者だった、リベラル主流の教授たちも見て見ぬふり、安倍首相への居丈高（いたけだけ）な態度とはえらい違いである。

しかし、この進歩的あるいはリベラル知識人の無反省を、「日本的」現象ということはできない。実は欧米でも状況は同じである。その背後にあるのは、70年以上経った今日まで続く、第二次大戦後の世界秩序を支える「ファシズム対反ファシズム」という構図であり、それに基づく反ファシズム史観である。

安倍首相はこの反ファシズム史観という「正しい」歴史観、ひいてはその上に築かれた戦後世界秩序の「修正」を目論んでいるとみなされているゆえ、中国のみならず米国でも警戒されているのだ。

だからこそ、日米同盟の分断を狙う中国共産党政権は、戦後70年に当たり、「抗日」に加えて「反ファシズム」を前面に押し出してきたのである。

盧溝橋事件から78年経った2015年7月7日、現地の中国人民抗日戦争記念館で、常設展「偉大な勝利　歴史への貢献」が始まった。そこでは「抗日戦線で共産党が果たした役割に加え、米ソなどとの連携をアピール。共産党と国民党が日本軍の戦力を中国に引きとどめたことで日独の連携が断ち切られ、連合国の勝利に貢献したとのメッセージが打ち出」され、参観した習近平国家主席は、「中国人民が世界反ファシズム戦争に果たした偉大な貢献を、しっかり記憶しなくてはならない」と述べた（『朝日新聞』2015年7月8日付朝刊）。共産党政権が「『反ファシズム戦争勝利』を打ち出すのは、世界に向け『中国は国際秩序の擁護者で、挑戦者ではない（王毅外相）』と訴える狙いもある」（同記事）。

日中関係が悪化したから反ファシズムを唱えているのではなく、「『中国脅威論』を薄めるためにも、中国が米英露仏などと同じ側にいるという『反ファシズム』の枠組みは好都合」なのだ（『朝日新聞』2015年5月8日付朝刊）。

１９３０年代には、国民党の剿共作戦によって壊滅寸前だった中国共産党は、スターリンが指示した「反ファシズム人民戦線」戦術に沿って、１９３７年の盧溝橋事件後に第二次国共合作に成功。実際には、国民党にだけ日本軍と戦わせて、自らは勢力拡大に専念し、大戦終了後の１９４９年、国共内戦に勝利して大陸を制覇した（第Ⅳ部参照）。１９７１年には国民党の中華民国を押しのけ、国連常任理事国となり、今に至っている。中国共産党政権にとって、「反ファシズム」史観は、自らの支配に正統性を与える、「建国神話」でもある。

戦後正統史観とスターリンの呪縛

朝日新聞が、かつて大々的に展開した慰安婦強制連行報道を、自ら虚偽と認めたにもかかわらず、なぜ米国の大手出版社が発行する歴史教科書の慰安婦に関する記述が修正されず、逆に教科書執筆者たちのみならず、米国主流メディアが日本側の修正要求を非難するのか。

中韓両国による反日宣伝活動がある程度影響を与えているにしても、それが主因とはいえない。背後にあるのは、もっと大きな「物語」、今日にまで続く思想言論の世界におけるスターリンの呪縛である。

スターリンは1930年代、ヒトラー率いるナチス・ドイツ台頭を受け、それまでの「社会主義対資本主義」という対立軸を表向き引っ込めて、「民主主義対ファシズム」という公式に基づく人民戦線路線を掲げ、英米仏との共闘を基本方針とする。この方針は1935年のコミンテルン第7回大会で正式に打ち出され、各国の共産主義者は、それまで敵視してきた社会民主主義者や自由主義者と、同じ「民主主義者」として共闘することを命じられた。

この公式においては、ソ連共産主義体制は民主主義陣営に含まれ、反共主義は反民主主義すなわちファシズムと等値とされる。独ソ不可侵条約で一旦放棄されたこの公式は、独ソ開戦後に再び復活し、最終的には、勝者敗者を問わず、世界的に認められた第二次大戦正統史観（連合国史観）である「反ファシズム史観」のバックボーンとなった。第一次大戦後、10年も経たないうちに敗戦国ドイツは国際連盟の常任理事国に迎え入れられた。しかるに、第二次大戦後、国際連合の安全保障常任理事国の顔ぶれは、旧連合国の五カ国のまま、75年経った今も変わっていない。

ただし、冷戦初期の東西対立が激しかった時代には、とくに米国では過去の歴史の「反省」を敗戦国に要求するよりも、現実の脅威であるソ連に対処すべく、反ソ反共が前面に押し出された。とはいえ、絶対悪はあくまでもナチス・ドイツであって、米国がソ連とともに戦ったこと自体が否定的に評価されたわけではない。さらに、米ソ間の緊張緩和とともに、日独が著しい復興を遂げたことで、反ファシズム史観に基づき、日独を歴史認識において圧迫する動きは、むしろ1970年代以降に顕著となり、ソ連崩壊後はさらに強まっている。

スターリンに端を発する「民主主義＝反・反共主義＝反ファシズム」という現代リベラルの公式は、冷戦後、むしろ純化されたといえる。

朝日新聞が慰安婦強制連行報道を虚偽と認めたからといって、残念ながら、反ファシズム史観の重要な構成要素である「邪悪な日本」像にもってこいの慰安婦「性奴隷物語」が、少なくとも当分は歴史的事実であるかのように扱われることを覚悟しておいたほうがよい。

そもそも、左右を問わず、ファシズムといった場合、もっぱら念頭にあるのは、本家イタリアのファシズムではなく、ドイツのナチズム（国家社会主義）であり、それは当時も今も変わらない。しかし、ヒトラー政権はナチズムとファシズムの違いを強調し、自らをファシストと呼んだことはない。

実際、その政治思想・体制の両面でナチス・ドイツに最も近いのは、ファシスト・イタリアではなく、スターリン独裁下のソ連であろう。生前ナチズム研究の第一人者だったエルンスト・ノルテとフランス革命研究の泰斗フランソワ・フュレとの往復書簡集のタイトルどおり、ナチズムとスターリニズムはまさに「敵対的近親関係」(feindliche Nähe)にあった。フランス新右派(Nouvelle Droite)の論客アラン・ド・ブノワが言うように、スターリンが作り出した人民戦線の枠組みの下、安易に「ファシズム」あるいは「反ファシズム」という言葉を使うのは、知らず知らずのうちに「スターリン語」(langue de Staline)を話しているのであって(『共産主義とファシズム』)、稀代(きたい)の共産主義革命家スターリンの術中に陥ることを意味する。

対立する相手を見境なくファシスト呼ばわりするのは、リベラルの専売特許ではない。たとえば、リベラルの天敵(?)産経新聞にも、「禁煙ファシズム」という表現が登場する(2015年1月30日付「金曜討論」)。

このような例は、他愛無いものとして笑って済ませるべきかもしれない。しかし、保守言論人がしばしば用いる「ファシズム中国」という表現は、思想言論の世界におけるスターリンの呪縛の強さを示す例といえる。「ファシズム」という言葉が、一定の時代と場所で生じた現象である、イタリア・ファシズム、あるいはドイツ・ナチズムとは無関係の、単に「巨悪」を指す罵倒語になっている。「ファシズム＝絶対悪」という、まさに人民戦線公式と同じ発想である。連合国史観に異を唱える我が国保守言論人も、反ファシズム史観と同じ世界観、すなわちスターリンの呪縛から完全に自由ではないのだ。

以下、米国における共産主義活動研究を例に、他山の石とすべく、米国歴史学界の動向を見てみよう。

反共リベラルが正統だった時代

日本では戦後、知識人に対する共産党の影響力は甚大であり、党員教授が東大を頂点とする学者の世界でも大きな勢力を占め、「『進歩的』でないと見なされたら、(国立）大学に職を得ることすら困難」(香西前掲書）な時代が長く続いた。今もその延長線上にあるといってよいだろう。それに対し、第二次大戦後の米国、とくに知識人の間でのソ連観そして共産主義観は大きく変化してきた。

同じ連合国の一員として戦ってきた米ソの関係は、1945年2月のヤルタ会談を経て、スターリンに好意的姿勢を示し続けたルーズベルト大統領が4月に亡くなり、副大統領だったトルーマンが大統領に就任して以降、急速に悪化する。ヤルタ会談のもう一人の当事者チャーチルは、戦勝直後の総選挙に敗れ、下野中の1946年3月、米国フルトンにおいて、北はバルト海から南はアドリア海までソ連による「鉄のカーテン」が降ろされ、中東欧諸国はその支配下にあるという有名な演説を行なう。

それから4カ月後の1946年7月、当時米国で最も広く読まれていた週刊誌『ライフ』に「米国共産党」と題した、大衆向け娯楽雑誌（掲載号表紙は女優ヴィヴィアン・リー）にしては硬派な論文が掲載される。そこでは、ソ連の強い影響下にある米国共産党がシンパに助けられ、米国社会に浸透し活動していることへの警戒が説かれ、共産党による組織的スパイ活動の脅威すら指摘されている。

今日、米国知識人の世界で主流をなすリベラルからみれば、開始早々の冷戦下、反共パラノイアに取り付かれた右派の「妄言」として、一笑に付されそうな内容である。

しかし、この論文の著者は、大戦中にＣＩＡの前身であるＯＳＳで諜報活動に従事し、共産主義者の活動実態を深く理解していた、新進気鋭の歴史学者でハーバード大准教授。誰あろう、戦後米国を代表するリベラル知識人、アーサー・シュレジンジャーなのだ。

米国において共産党は、右派にとって脅威ではない。共産党の成功は左派を分裂させ無力化するゆえ、右派にとって大きな助けとなる。左派にとってこそ、共産主義は最も深刻な危険を突き付ける。（中略）彼らの活動の隠匿性や党員であることに対する誠意を欠いた否認によって、共産主義者は米国リベラルから自らの本性を隠すことに成功してきた。（中略）彼らは国際問題において、虚偽に満ちた二者択一を迫り、ソ連を支持しない者をすべてファシスト派（pro-fascist）と宣告する。

冷戦初期、ベトナム戦争で米国社会が大きく変容するまで、反共は米国社会のコンセンサスであった。1952年の大統領選挙で、中道穏健派とされた第二次大戦の英雄ドワイト・アイゼンハワー元帥は、副大統領にリチャード・ニクソン上院議員を指名し当選する。ニクソンは下院議員時代に、元ソ連スパイのウィテカー・チェンバーズにスパイと名指しされた元国務省高官アルジャー・ヒスを追い詰め、偽証罪で下獄させた反共の闘士として、勇名を馳せていた。アイゼンハワーは在任中、世界中からの助命嘆願を退け、原爆機密情報をソ連に漏洩したスパイとして、ローゼンバーグ夫妻の死刑を執行する。

社会全体と比べれば「左」寄りの知識人の世界でも、主流はシュレジンジャーら冷戦リベラル（Cold War liberal）であった。その希望の星が、1960年の大統領選挙でニクソンを降したジョン・F・ケネディ大統領であり、シュレジンジャーはその側近として政権に参画する。

当時は左右を問わず反共であり、ジョセフ・マッカーシー上院議員による悪名高い「赤狩り」も、その「行き過ぎ」が非難されたのであって、反共が批判の対象になったのではない。ちなみに、マッカーシーはケネディ家と親しく、議員在任中、初期のスタッフの一人は、兄と同じく暗殺された後の司法長官ロバート・ケネディ。また、マッカーシーが上院で譴責（けんせき）された際、民主党が一致して賛成票を投じたなか、民主党上院議員だったジョン・ケネディは、入院を口実に欠席している。

反共主義に対抗する「修正主義者」の台頭

１９７０年代に入るまで、米国共産党に関する研究も、ソ連の完全な支配下にあって米国民主主義とは相いれない異分子として、批判的に捉える立場で行なわれていた。そうした研究を主導したのは、セオドア・ドレーパーやアーヴィング・ハウら、若き日に虚偽と偽計に満ちた共産主義運動の実態に接し、幻滅した反共リベラルであった。

しかし、ベトナム戦争の泥沼化と人種間対立の激化を背景に、米国でもエリート大学を中心に新左翼（ニューレフト）が登場する。新左翼は日欧同様、現実の政治勢力としては敗退したものの、実社会とはある意味で隔絶された、人文・社会科学系の学問の世界では主導権を握ることに成功する。

米国共産主義運動研究をリードしてきた、エモリー大のハーヴェイ・クレア名誉教授と、元米議会図書館のジョン・アール・ヘインズ博士が指摘するように、ウォーターゲート事件によってニクソン大統領は不面目な退陣を余儀なくされ、ＣＩＡなどの違法な活動が明るみに出るなか、米国社会において、かつての反共コンセンサスは失われた。

1970年代以降、歴史学界における米国共産党に対する見方も大きな変容を遂げる。従来の見方とは百八十度転換し、共産党は決して独裁者スターリンの手先などではなく、急進的ではあっても、米国民主主義の一翼を担う理想主義者の集まりという解釈が打ち出される。こうした根本的理解の下、「赤狩り」は根拠のない「魔女狩り」であり、スパイ容疑はでっち上げであって、共産党員やシンパは反動保守勢力の犠牲者として描かれるようになる。

ドレーパーの衣鉢（いはつ）を継ぐクレアらが指摘するように、かつて歴史学界で主流だった米国共産党に否定的な伝統主義者（traditionalist）は、徐々に片隅に追いやられ、共産党への肯定的解釈を旨（むね）とする修正主義者が、1990年代の初めには学界の大勢となる。新たに学界主流派となった修正主義者の論客マイケル・ブラウンによれば、ドレーパーらの著作は「社会科学の埒外（らちがい）」に位置する一方、修正主義者が示す共産主義者への「同情に見えるもの」は、「実際には、批判的歴史記述がとり得る唯一の視点に対する責任を引き受ける意欲の表われに過ぎない」（『米国共産主義の政治と文化の新研究』）として正当化される。

共産党の肯定的再評価には、現実の米国共産党が政治勢力として取るに足らない存在であることが幸いした。日本や欧州大陸諸国では、共産党は既成勢力として新左翼に敵視された。それに対し米国では、自分たち新左翼と同じく、保守反動に「弾圧」された理想主義的社会改革運動の先達として、共産党をある種ノスタルジックな存在として描くことができたのである。

修正主義イデオロギーの集大成、ジョエル・コーヴェルの『約束された国における赤狩り』によれば、反共主義はソ連など現実の共産主義体制とは関係のない、先住民虐殺以来の米国の歴史文化を背景にした、冷戦期米国の国家宗教（state religion）であり、反共の戦いとは、資本家支配への抵抗の抑圧だとされる。

こうして、親共・容共というよりも、反共主義者を敵視する反・反共主義が、リベラルの主流となっていく。「反共＝マッカーシズム＝保守反動」という「公式」の確立である。皮肉なことに、ベトナム戦争に敗れてやっと、米国の知識人主流は丸山真男(まるやままさお)をはじめとする日本の進歩的文化人に追いついたのだ。

一方、民主党内で孤立し少数派となった反共リベラルは、ロナルド・レーガン政権と前後して、共和党支持に宗旨替えする。彼らこそ、ドナルド・トランプの大統領就任でその地位が揺らいでいるとはいえ、今日では保守本流となったネオコンサバティブである。ただし、かつて共和党の主流だった反ルーズベルトのオールド・ライトと違って、ネオコンサバティブは第二次大戦を正（聖）戦視している。反共ではあっても、ナチス・ドイツという絶対悪を倒すために、より小さな悪であるスターリンと協力することはやむを得なかったという歴史観の持ち主といってよい。

余談ながら、トランプが共和党内で異端視され、主流派から毛嫌いされている最大の理由は、ネオコンサバティブ主導の、中東戦争をはじめとする、武力を用いた「米国民主主義の輸出」に、強く反対しているからである。

修正主義が覇権を確立するなか、冷戦初期にソ連スパイとされた「犠牲者」たちの名誉回復が進む。とくに、幼い子供を残して処刑されたローゼンバーグ夫妻と、栄光の前半生から一転して、下獄後は不遇の人生を送ったヒスの復権は、その代表例である。名門コロンビア大にはヒスの名を冠した教授ポストが設けられ、初代アルジャー・ヒス記念教授には、ヒスの熱烈な擁護者である前述のコーヴェルが就任した。

安倍首相が「歴史修正主義者」と呼ばれる場合、事実を故意に捻じ曲げて虚偽の主張を行なうという非難の意味が込められている。それに対し、米国共産党の歴史解釈をめぐる論争において、伝統主義者であるクレアとヘインズは、「(修正主義という) 名称は蔑称ではなく、確立されたパラダイムを『修正』して解釈する立場を指し示す」と記している。

確かに、事実に基づいて過去の通説が修正されていくのであれば、それは自然な流れであり、望ましいことであろう。

しかし、米国共産党を肯定的に再評価し、反共主義を弾劾する修正主義、すなわち反・反共修正史観は、お世辞にも事実に基づく学問的営みとはいえない代物（しろもの）である。歴史学界ひいては知識人一般の世界で支配的となったといっても、反共伝統史観は客観的証拠で否定されたわけではないのだ。

それではなぜ、反・反共修正史観が学界を席巻したのか。うがった見方をすれば、米国による世界支配に都合がよい反ファシズム史観と整合的だからともいえる。核戦争の可能性さえ内包していた冷戦初期の激しい米ソ対立の時代が去り、ある意味一時的だった米国社会の反共コンセンサスが失われてしまえば、反・反共修正史観が勢いを増すのは「自然」であった。

ところが、ソ連崩壊に伴う秘密文書解禁で、退潮著しく、少なくとも学界では消え去る運命にあるかに見えた伝統主義者が息を吹き返す。米国政府が、冷戦期一貫して秘密にしてきた、ソ連暗号の解読に基づくヴェノナ文書を公開したのだ。

第7章　ヴェノナの衝撃

私たちが無実であり、良心に恥じる行ないをしていないことを忘れないでほしい

ジュリアス・ローゼンバーグ
エセル・ローゼンバーグ

ヴェノナ文書とは。そして何がわかったたか

1995年7月11日、長きにわたってその存在が噂(うわさ)されてきたにもかかわらず、極秘とされてきた「ヴェノナ（VENONA）文書」の公開セレモニーが、CIA本部でCIA、FBI及びNSA（国家安全保障局）の各長官とダニエル・パトリック・モイニハン上院議員列席の下、執り行なわれた。

ヴェノナ文書公開は、前述のクレアとヘインズの言葉を借りれば、「二十世紀米国史に対する再検討を迫る」ものであった。以下、主に二人の共著『ヴェノナ』、ＮＳＡ及びＣＩＡの「ヴェノナ解説書」（ロバート・ベンソン他編）、英国に関する箇所はナイジェル・ウェストの『ヴェノナ：冷戦最大の秘密』も参照しながら、明らかにされた事実を紹介する。

第二次大戦中から戦後にかけて、軍の情報機関であるＮＳＡは、対ソ連諜報活動の一環として、主に米国で活動するソ連政府・軍の情報機関ＫＧＢとＧＲＵの工作員と、モスクワ本部との間でやり取りされた１９４０年から１９４８年の暗号電信を入手し、１９４３年から１９８０年までかけて、解読作業を行なっていた。この解読プロジェクトのコードネームがヴェノナである。なお、各国機関名の変遷による混乱を避けるため、原則として、それぞれもっとも知られた名称で統一して表記する。

プロジェクト進行中はもちろん、終了後も長らく公開されなかったのは、米国側諜報活動の手の内をソ連に見せないという、安全保障上の理由からであった。しかし、ソ連崩壊により、もはや安全保障上の理由は消滅し、ロシアでは多くの秘密文書の公開が進むなか、自由の国を標榜（ひょうぼう）する米国では秘密のままという皮肉な状況となってしまった。最終的に、民主党重鎮で反共リベラルの学者政治家モイニハンの働きかけもあり、半世紀を経て、ついにその全貌が明らかにされた。現在は、NSAのホームページで、誰でも英訳された文書を閲覧できる。

ヴェノナ文書のもととなった暗号電信の入手そのものは難しくはなかった。ソ連工作員とモスクワ間のやり取りが、大胆にも一般の電信サービスで行なわれていたからである。ソ連側は、通信内容が絶対に解読できないという自信を持っており、実際、ソ連の暗号処理は原理的に解読不可能であった。数字と言葉を対比させた一種の辞書である暗号解読書を用いて、ロシア語の文章が数字に変換されたうえ、一回しか使用しない乱数（one-time pad）で加工されているため、いくらメッセージ——というより、でたらめな数字の羅列——を集めても、パターンを見つけて解読することはできない。ところが、戦争の激化もあり、大量のメッセージを処理する必要に迫られたソ連情報機関は、乱数の作成が間に合わず、同じ乱数を複数回使用するようになり、解読の可能性が生じたのである。

しかし、解読の可能性があるといっても、実際に暗号電信を解読することは極めて困難であり、最初にメッセージが解読されたのは、解読作業開始から3年後の1946年であった。1950年代はじめまでに、かなりの部分が解明されたものの、前述のとおり19

80年まで作業は続けられ、3000近いメッセージが解読された。ただし、未解読の部分がまだ多く残ったままである。

さらに、暗号が解読され普通の文章になっても、それで作業完了ではない。人物・組織・地名がコードネームで表現されているため、それが実際に誰であるかを解明する作業が必要となる。もちろん、「キャプテン」がルーズベルト大統領、「カルタゴ」が首都ワシントン、「同郷人」が共産党員を指すなど、容易にわかるものも多い。しかし、ヴェノナ文書で明らかになったソ連エージェントのうち、いまだ実際に誰を指すのか不明なものも少なくない。

ヴェノナ文書で示されたのは、それまでの反共伝統主義者の想定を上回る、スパイ活動への協力も含めた米国共産党のソ連への隷属ぶりと、米国における大規模なソ連スパイ網の存在であった。ヴェノナ文書で明らかになっただけでも、300名を超える米国人（あるいは永住権者）がソ連のエージェントとして活動し、しかも、その中には何人ものルーズベルト政権高官が含まれていた。当然ながら、すべてのソ連エージェントが、解読されたヴェノナ文書に登場しているわけではないので、その実数はもっと多いだろう。

個別事例の当否は別にして、政権中枢にまでソ連スパイが浸透しているという、かつてのマッカーシー上院議員による荒唐無稽と思われた主張は、正しかったのである。

それにしても、なぜこれほど多くの米国人を、ソ連は自らのエージェントに取り込むことができたのであろうか。それには米国共産党が、ソ連にとってどのような存在であったかが大きく関わっている。学界で通説と化していた、共産党は進歩的勢力のなかの最左派であり、米国デモクラシー内部の批判勢力に過ぎないという反・反共修正史観は、事実をもって否定された。アール・ブラウダー書記長以下、米国共産党が組織的にソ連のスパイ活動の一翼を担っていたことが明らかとなったのだ。さらには米国人エージェントのほとんどが共産党員であり、その周りには、スパイ活動が行なわれているのを知りつつ、彼らを擁護するジャーナリストや知識人が存在したのである。

「共産党員はソ連のエージェント」あるいは「親ソ知識人の背後にソ連の影」という仮説は、絶対確実ではないにしても、ソ連による敵対活動から米国を守る際の有効な作業仮説、デフォルト・ポジションだったといえる。ただし、実際の防諜活動においては、従来の大方の見方とは異なり、「赤狩り」の時代、米国政府はデュー・プロセス（法の適正手続き）を重視し、慎重に行動していた。そのため、刑事事件として立件された例は多くない。その数少ない例外が原爆スパイ事件であった。

原爆をめぐるスパイ活動

１９４５年８月、中年の独身女性エリザベス・ベントレーがＦＢＩの事務所を訪れ、自分がＫＧＢのエージェントだと告白する。ベントレーは全くノーマークであり、当初、妄想に取り付かれた戯言と疑ったＦＢＩも、尋問内容と自らの情報をつき合わせ、秋には彼女の告白を本物と確信する。ベントレーは、長年、反・反共修正主義者から「嘘つき」呼ばわりされてきたけれども、実際には、その証言が極めて正確だったことが、ヴェノナ文書で明らかになった。

ベントレーは、ＦＢＩへの告白のなかで、１９４２年にジュリアスという名前（ファーストネーム）の男が、ＫＧＢエージェントでベントレーの愛人ジェイコブ・ゴロス――１９４３年に心臓発作で死亡していた――に、ソ連のためにスパイ活動を行ないたいと申し出た、と供述していた。しかし、苗字その他の属性は何ひとつわからず、それが誰であるか明らかになるまで、５年の歳月が流れることになる。

原爆をめぐるスパイ容疑で最初に摘発されたのは、マンハッタン計画に参加していた英国人物理学者クラウス・フックスであった。フックスはもともとドイツ共産党員であり、英国に亡命・帰化後も、ソ連のためにスパイ活動を継続していたのである。１９４９年、ＦＢＩからヴェノナの解読結果を示された英国対内情報機関ＭＩ５に尋問されたフックスは、あっさりと自白した。投獄されたフックスは、刑期を５年残して釈放され、１９５９年に東ドイツに移住し、その後、東ドイツの原子力研究のリーダーとなる。

このフックスの自白とヴェノナの解読結果をもとに、１９５０年、フックスとＫＧＢの仲介役を務めていたハリー・ゴールドが逮捕される。自白したゴールドは、刑期30年のうち約半分を残して、１９６５年に出所した。こうしてソ連の原爆スパイが芋蔓式に摘発されはじめた。ゴールドの自白により、ロスアラモス原爆研究施設の技官だったデービッド・グリーングラスが逮捕され、彼の自白により、妻のルース、そして義兄（姉の夫）ジュリアス・ローゼンバーグが逮捕された。さらに、グリーングラス夫妻は、デービッドの姉でジュリアスの妻エセル・ローゼンバーグもスパイ網の一員であると供述し、エセルも逮捕される。

ベントレーが告白した「ジュリアス」、それはジュリアス・ローゼンバーグだったのだ。そして、ヴェノナ文書に頻繁に登場する「アンテナ」及び「リベラル」が、このスパイ網の中心人物ジュリアス・ローゼンバーグであることが突き止められた。

ところが、ここで摘発は止まってしまう。ローゼンバーグ夫妻は一切の関与を否定したのである。デービッド・グリーングラスは懲役15年、その妻のルースは刑を免(まぬか)れたのに、ローゼンバーグ夫妻は死刑を宣告される。国内のみならず世界中から、反共ヒステリーによる冤罪(えんざい)であるという非難が巻き起こった。

それに対し、米国政府は、ヴェノナによる解読でローゼンバーグ夫妻有罪の具体的証拠を握っていたにもかかわらず、ソ連に手の内は見せないという安全保障上の考慮を優先し、ヴェノナ文書を秘密のままにした。裁判の公正さへの疑問を払拭するより、米国政府は自らの防諜政策を優先したのである。そして、全ての司法的救済の道を塞(ふさ)がれ、世界中からの助命嘆願にもかかわらず、スターリンが死んだ1953年、ローゼンバーグ夫妻は二人の幼い息子を残して、処刑された。

なぜローゼンバーグ夫妻は自白しなかったのであろうか。結局、戦後のスパイ摘発で死刑になったのはローゼンバーグ夫妻だけであった。しかも、それは米国政府にとって、むしろ避けたかった事態であり、FBIはKGBと違い、摘発して、十分な証拠を必要とし、結果として手の内を見せることによる刑事裁判に持ち込むより、スパイ活動が不可能な部署へ異動させるなどの、スパイ活動の無害化を優先していた。たとえば、物理学者セオドア・ホールは、ソ連エージェントだとわかっていたのに、摘発されることなく、「成功した」研究者人生を全うした。通常、自由民主体制における防諜政策では、刑事告発は二義的な意味しか持たない。

虚偽の自白を強要したうえで自国民を処刑したソ連とは異なり、米国政府が真実を告白した米国人を処刑するはずがないことぐらい、夫妻にもわかっていただろう。実際、米国政府は処刑当日まで、自白した場合には、死刑執行を停止する方針であった。しかし、ローゼンバーグ夫妻は、無実の罪で処刑される殉教者を文字どおり演じきった。「祖国」ソ連への忠誠に命をかけたのである。夫妻の「殉教」は、二人の思惑どおり、米国の「反動性」を象徴するものとして、ソ連その他の共産党政権や内外の共産主義者に徹底的に利用されることとなる。

ローゼンバーグ夫妻に限らず、ソ連の原爆スパイ活動は極めて大がかりなものであり、いずれ独自に原爆開発に成功したにしても、米国から遅れることわずか4年の1949年の段階で実験に成功するのに、原爆スパイ活動が大きく貢献したことは確実である。

この原爆スパイ活動の成果は、極東アジアの歴史を大きく左右した。1950年に始まった北朝鮮による韓国侵略の背後に、スターリンそして毛沢東がいたことは、今や公知の事実である。そして、前年1949年の原爆実験成功がなければ、米国との直接対決に慎重であったスターリンは、北朝鮮軍の南侵にゴーサインを出さなかったであろう（ウラジスラフ・ズボク他『クレムリンの冷戦の内側』）。また、劣勢となった北朝鮮を全面支援する、中国の直接参戦決断の背後にも（セルゲイ・ゴンチャロフ他『不確かなパートナー』）、原爆投下を主張するマッカーサー解任に代表される米国の戦争限定化にも（ギャディス『歴史としての冷戦』）、ソ連の原爆保有が大きな役割を果たしたことは間違いない。

さらに、驚くべきことに、マンハッタン計画の英国側連絡担当でワシントン駐在の英外交官ドナルド・マクレーンも、ソ連のエージェントであった。また、朝鮮戦争の時期に同じくワシントンに駐在していた、もう一人の英外交官ガイ・バージェスは、国連軍側の機密情報をソ連に報告していた。二人は、ヴェノナによる暗号解読が進み、自分たちへの捜査の手が迫っていることを察知して、1951年にモスクワに逃れる。

なぜ、マクレーンとバージェスはヴェノナによる解読が察知できたのか。なんと、米国からヴェノナに関する情報提供を受けていた英国対外情報機関MI6高官キム・フィルビーが、ソ連のエージェントだったのだ。この3人は全員ケンブリッジ大卒業生、いわゆるケンブリッジ・スパイ・ネットワークのメンバーであった。しかし、ソ連のスパイ網が浸透していたのは英国政府だけではなかった。米国政府中枢にも、ソ連のエージェントは入り込んでいたのである。

米国政府高官のスパイ活動

国務省元高官であるヒスが、1948年8月の下院非米(ひべい)活動委員会で、元共産党員でGRUエージェントだったチェンバーズに、かつての同志であると告発された際、トルーマン民主党政権下のホワイトハウスは、ヒス追及に協力的ではなかった。ただし、1945年のベントレーの告白、オタワにある在カナダ・ソ連大使館に勤務していたGRU電信担当官イーゴリ・グゼンコの亡命証言などをもとにしたFBI報告により、ジェームズ・バーンズ国務長官とディーン・アチソン国務次官（後に国務長官）には、ヒスがスパイである可能性が伝えられており、友人であったアチソンの勧めもあって、1946年にヒスは国務省を辞め、カーネギー国際平和財団理事長に就任していた。

トルーマンは、保守的なFBI長官ジョン・エドガー・フーバーの進める防諜活動に懐疑的であった。そのため、まだヴェノナによる解読が成功する前の1946年に、ベントレーの供述などに基づき、財務省高官のハリー・デクスター・ホワイトが、ソ連のスパイ活動に関与している可能性が高いことを示す報告書を、大統領補佐官ハリー・ヴォーン准将を通じて渡されていたにもかかわらず、トルーマンは行動を起こさず、ホワイトはIMF（国際通貨基金）理事に就任する。

しかし、ルーズベルトのような親ソ派であったわけではないトルーマンは、ソ連エージェントの政府内への浸透を疑いはじめ、1947年3月には政府職員に対する忠誠確認プログラムを導入する。また、CIAも同年に設立された。ただし、トルーマンと情報機関の関係は最後までしっくり行かず、オマール・ブラッドレー陸軍参謀総長（後に初代統合参謀本部議長）は、ヴェノナ文書をトルーマンに直接見せることを避けていた。情報機関同士の連携も円滑であったわけではない。1948年という比較的早い時期から情報を提供されていたFBIと異なり、CIAがヴェノナを直接担当するNSAとの連携を始めたのは、1952年になってからであった。

ヴェノナ文書は、長い間、ローゼンバーグ夫妻と並んで「赤狩り」の犠牲となった悲劇の主人公とされてきたヒスが、ソ連のエージェントであったことを示した。ヒスは東部エスタブリッシュメントの一員であり、早くから国務省のスターといわれ、第二次大戦が終わる頃には国務長官上席補佐官であり、ヤルタ会談に同行し、国連創設にも関わった。

ヒスを告発したチェンバーズは、共産主義に幻滅して1938年に共産党を離れ、スパイ活動から手を引いていた。最初、ヒスはチェンバーズの証言を完全否定し、すでに10年以上前のことゆえ物証がないことを見越して、証拠を出せとチェンバーズに迫った。ところが、チェンバーズはヒスが自分のタイプライターで打った文書の束を密かに保存していた。これがいわゆるパンプキン文書で、ホワイトの手書きメモも含まれていた。結局、ヒスは偽証罪で1950年に下獄し、3年半刑務所に入る。その後、1996年に92歳で死ぬまで、ヒスは冤罪を主張しつづけた。

だが、実は、ヒスのスパイ活動は、チェンバーズが暴露した、国務省の中堅官僚だった1930年代で終わっていなかった。チェンバーズがソ連を「裏切った」1938年以降も、ヒスはスパイ活動を継続していたのである。

ヴェノナ文書は、ヒスが少なくとも1945年3月――ヤルタ会談の一カ月後――までソ連スパイであったことを、明らかにした。戦後のヤルタ体制形成過程で、米国政府のトップレベルにソ連の内通者が入り込んでいたということである。

さらに、政府上層部に食い込んだソ連のエージェントとして、ロクリン・カリーの名を忘れるわけにはいかない。カナダ生まれのカリーは1934年に米国籍を取得後、ホワイトとともに財務省に入り、1939年にはルーズベルト大統領の補佐官として、ホワイトハウス入りを果たす。ルーズベルト側近となったカリーがソ連にもたらした情報のなかでも、とくに重要なものが、ポーランド政策に関するものであった。

戦後のポーランドの地位に関して、戦時中の米国公式外交方針は、ロンドンにあった反共のポーランド亡命政権支持であり、1944年の大統領選挙を控え、ルーズベルトは一大勢力であるポーランド系移民の支持を得るため、この方針の堅持を唱えていた。しかし、ルーズベルトは、ソ連が独ソ不可侵条約により獲得した東部ポーランドの永続支配を認めるつもりであり、カリーはそのことをソ連に伝えていた。スターリンは、ポーランド問題に関しては、亡命政権が求めていた東部ポーランド返還など、妥協の必要がないことを知ったうえで、米国との交渉に臨むことができたのである。

カリーはさらに、戦時中、暗号解読が成功する前の段階で、極秘プロジェクトであるヴェノナの存在を察知し、ソ連に通報していた。おそらくカリーの差し金で、1944年にホワイトハウスからソ連暗号電信の解読を中止するよう圧力がかかる。しかし、ヴェノナの責任者であるカーター・クラーク大佐が無視したことで事なきを得た。なお、カリーは戦後、FBIの追及をかわし、1950年に南米コロンビアに移住後、米国籍を放棄した。

ルーズベルト政権中枢への大がかりなソ連エージェントの浸透が成功した背景には、政権の意図的というしかない不作為があった。

1938年にスパイ活動を離れ、目立たないよう慎重に行動していたチェンバーズは、独ソ不可侵条約締結による国際情勢急変に危機感を覚え、ドイツのポーランド侵攻開始直後の1939年9月2日、アドルフ・バーリ国務次官補に直接面会し、ホワイト、ヒス、カリーをはじめとする政府内ソ連エージェントを、実名を挙げて告発する。

しかし、このチェンバーズの告発は、1945年にベントレーがFBIに告白するまで、政府内で真剣に取り上げられることはなかった。スターリン以上の悪と捉えていたヒトラーを倒すうえで、ルーズベルトが、ソ連のスパイ活動が表面化することは、政治的に受け入れがたいと判断したともいわれる（リチャード・パワーズ『名誉なきにあらず』）けれども、真相は闇のままである。いかなる理由にせよ、チェンバーズの告発を戦争終結まで無視したことは、米国の安全保障を危険にさらし、戦後世界秩序に大きなダメージを与えることにつながった。

なお、日本とも関わりが深い、財務省高官ホワイトについては、次章で詳しく取り上げる。

日本との関わり——アメラジア事件

左翼からはでっち上げといわれ、日本とも因縁浅からぬアメラジア事件についても、やはりソ連の謀略の手が及んでいたことを、ヴェノナは白日の下(もと)にさらけ出した。

『アメラジア』は東アジアに関心を持つ進歩的知識人が集まる太平洋問題調査会(IPR)の準機関誌ともいうべき存在で、編集兼発行人はグリーティング・カード会社のオーナー、フィリップ・ジャフィが務めていた。ジャフィは米国共産党書記長でソ連エージェントのブラウダーと親しく、従妹(いとこ)が中国共産党秘密工作員冀朝鼎(きちょうてい)の妻という、親ソ親共の赤い資本家であった。

ちなみに、IPRにはゾルゲ・スパイ網の尾崎秀美、西園寺公一(さいおんじきんかず)、アグネス・スメドレーらが関わっていたほか、ヴェノナにより、中心的メンバーでGHQの一員だったトマス・ビッソンがGRUエージェントだったことも明らかになっている。

CIAの前身であるOSSの東南アジア課長ケネス・ウェルズは、『アメラジア』1945年1月26日号を読んで驚いた。なんと、彼自身が書いた、英国の戦後アジア政策に関する機密の政策メモと、ほとんど同じものが掲載されていたのだ。FBIが誰もいない『アメラジア』の事務所に踏み込むと、写真のない雑誌なのに立派な暗室があり、部屋には大量の政府文書のコピーがあった。トルーマンの承認も得て、FBIは6月6日にジャフィら6人を逮捕する。そのなかには、親中共派の外交官ジョン・サービス（第13章参照）も含まれていた。ところが、この一大スパイ事件に発展するかにみえた機密文書漏洩事件は、いつのまにか言論弾圧事件にすり替わり、ジャフィともう一人が形式的な微罪に問われただけで、うやむやになってしまう（クレア他『アメラジア・スパイ事件』）。

しかも、折から開催中の国連創設のためのサンフランシスコ会議に出席していたエドワード・ステチニアス国務長官に代わり、逮捕時の国務省の総責任者であった前駐日大使のジョセフ・グルー国務次官は、メディアによる批判の矢面に立たされ、6月16日に辞表を提出——正式辞任は8月——し、省内での影響力を失う。こうして、国務省の極東政策は、グルーとユージン・ドーマンの知日派反共ラインから、次官補から昇格したアチソン次官とジョン・カーター・ヴィンセント極東局長という中国共産党に好意的な容共ライン主導となった。

アメラジア事件はもちろんでっち上げなどではなく、ジャフィと頻繁に接触していたジョセフ・バーンスティンがGRUのエージェントだったことを、ヴェノナは明らかにしている。ジャフィは逮捕前、バーンスティンにもっと積極的に協力すべきかどうか思案中であった。ソ連のエージェントとなることに良心の呵責（かしゃく）を感じていたのではない。米国公安当局の罠（わな）かもしれないと用心していたのである。なお、逮捕された6人のうちのひとりであるマーク・ゲインは、何の罪にも問われず、占領下の日本で、鳩山一郎（はとやまいちろう）の公職追放に大きく「貢献」した。

歴史再検討を迫るヴェノナ文書

ソ連スパイ網の米国への大がかりな浸透を示すヴェノナ文書の内容は、文字どおり衝撃的である。公開当初は、その信憑性（しんぴょうせい）に疑問を呈する声もあったけれども、旧ソ連で解禁された文書など、全く別のところから出てきた資料との整合性も高く、今日では、20世紀の歴史を検討するうえで欠かすことのできない、第一級の資料であるという評価が確立している。

ただし、ヴェノナによって初めて、ソ連によるスパイ活動の存在が明らかになったわけではない。たとえば、ヴェノナ文書公開のはるか以前から、ローゼンバーグ夫妻がソ連のエージェントであったことは明白に示されていた（ロナルド・ラドッシュ他『ローゼンバーグ・ファイル』）。

ところが、ベトナム戦争以降、学界を含む知識人の世界では、ソ連の大規模な米国内でのスパイ活動否定論が通説となり、しばしば、極右反動によるでっち上げとまでいわれていた。金正日（キムジョンイル）が2002年9月の日朝首脳会談で自白するまで、日本で拉致（らち）事件が拉致疑惑と呼ばれ、多くのリベラルと称する政治家や知識人が、右翼のでっち上げと主張していたことに似ている。

いまだ北朝鮮を擁護する日本人がいるように、米国にも、ヴェノナによってソ連エージェントであることが決定的に示された米国人がスパイではないと強弁する学者や知識人が少なくないことは、次章で詳述する。

クレアらが指摘するように、ヴェノナが疑問の余地なく明らかにしたのは、対独戦をともに戦っていたときから、ソ連は米国を友好国ではなく、一時的に協力しているだけの敵国として扱っていたということである。冷戦は、米国の戦後反共政策がもたらしたものではなく、スターリンによってはるか以前から開始されていたのである。

第5章で述べたとおり、フルシチョフが作り上げた、レーニンから逸脱した暴君というイメージとは異なり、スターリンはレーニンの忠実な後継者であったことを考えれば、共産主義研究の泰斗(たいと)リチャード・パイプスが指摘しているように、冷戦は1917年のソ連建国とともに始まっていたというべきかもしれない（『コメンタリー』2006年2月号）。

ソ連秘密文書が明らかにしたレーニンの実像は、極めて残忍冷酷であり、他国（ドイツ）政府から資金援助を受けることに躊躇しなかったレーニンは、他国へのスパイ活動に関しても金に糸目をつけなかった（パイプス『知られざるレーニン』）。極右の妄想とされてきた「モスクワ・ゴールド」、すなわちソ連による米国共産党への資金援助は、1988年まで続いていたことが明らかになっている。

冷戦が第二次大戦前から始まっていたのは、米ソ間だけではない。坂本多加雄(さかもとたかお)学習院大元教授が指摘しているように、「そもそも共産主義勢力との『冷戦』を早い時期から開始していたのは、他ならぬ日本であった。それが開始されたのは、一九二五年、日本がソ連との国交樹立に伴い、治安維持法を制定してからである。モスクワのコミンテルンの指導に忠実に従った勢力によってなされる反体制運動に対しては、もはや従来の治安法規では対処できないと考えられたのである」（『求められる国家』）。

伊藤隆東大名誉教授が提唱しているように、今まで知り得なかった多くの事実が明らかになった21世紀の今こそ、日本人には、共産主義とその鬼子であるナチズムに翻弄された20世紀の日本の歩みを、もう一度見つめなおすことが求められている（『日本の内と外』）。

ヴェノナ研究の金字塔であるクレアとヘインズの『ヴェノナ』の邦訳が、我が国インテリジェンス研究の第一人者、中西輝政京大名誉教授の監訳で、２０１０年に出版され、ソ連の謀略活動を無視あるいは極端に軽視してきた日本の歴史学界といえども、ヴェノナ文書を無視して現代史を語ることは、学問的良心があるのであれば、許されない状況となってきている。

ヴェノナ文書は、米国だけでなく、日本の歴史再検討にも欠かせない資料である。

第8章　それでも「スパイ」と認めない人々

私は、いまだかつて共産主義者であったことはないし、
それに近づいたことすらない
ハリー・デクスター・ホワイト

「ザ・クエスチョン」

ヴェノナ文書はまだ公開されていなかったものの、ソ連崩壊後のロシアで秘密文書解禁が進んでいた1994年、崩壊に至るまでソ連を支持しつづけた米国の高名な歴史家ユージン・ジェノヴィーズは、左翼論壇誌『ディセント』に「ザ・クエスチョン」と題した挑発的論文を発表する。

ソ連崩壊後、自分たちには最も問われるべきことがあるのに、皆が沈黙している。それ

は、「何を知っていたのか、それを知ったのはいつなのか」という「ザ・クエスチョン」である。

共産主義運動という「現在、誰もが知っているように、人類を暴力と抑圧から解放するという高貴な努力の結果、我々はわずか四分の三世紀の間に数千万人の死体を積み上げ、大量殺戮（さつりく）の過去の記録をすべて破った」。

この「我々」という主語に、彼の思いが込められている。「同志スターリン」ら虐殺の当事者や、自分のような筋金入りの共産主義者だけではなく、「『民主的社会主義者』、『ラジカルな民主主義者』、そして他の左派」にも道徳的責任がある。「先を急ぎ過ぎる社会改革者であるという――我々自身は決して抱いていない――心地良い幻想の下、我々を多かれ少なかれ支持した数限りないリベラルの存在なしに、どうして我々が政治的に生き残ることができたであろうか」。

そう、「我々は本質的なことはすべて知っていたし、それも最初から知っていたのだ」。共産主義の惨禍は、スターリンらがイデオロギーの理想を裏切ったから生じたのではなく、イデオロギーそのものから生じたのである。「人間性――その弱さと可能性――についての理解そのものの根源的誤り、そして長きにわたり宗教によって支えられてきた道徳的・倫理的基準に代わるものを提供できなかったことが、（中略）我々を大量虐殺への共謀と高唱する理想の冒瀆とに導いた」。

さらに、ジェノヴィーズは皮肉を込めて、こう述べる。今や学界エスタブリッシュメントにおさまっている多くの左翼は、最初から知っていたお前のような卑劣漢とは違って、本当に知らなかったのだと主張するかもしれない。しかし、そうした「無実」の訴えは、とくに歴史家にとって致命的である。それは、「最初から積み上がっていた証拠の検討を故意に怠っていたと認めることになる。すなわちプロとしての資格がないと告白することになるのだ」。それより「共謀」を認めたほうがまだましである、と。

開き直る「修正主義者」たち

しかし、このジェノヴィーズの真摯な訴えは全くといってよいほど無視される。自らの主張を全面的に否定する内容の秘密文書公開にもかかわらず、反・反共修正主義者たちは「反省」するどころか、証拠などお構いなしに、自説に固執しつづけたのだ。

たとえば、ヴィクター・ナヴァスキーは、ヴェノナ文書公開翌年の1996年10月、自らが編集兼発行人（現在は名誉発行人）の『ネーション』（1996年10月28日号）でこう述べている。「ネオコンサバティブの宣伝者たちは（中略）ヴェノナの残骸を利用して、対象を悪魔視する冷戦神話を強固」にしようとしており、「民主的自由を大切に考える者はこうした虚偽の歴史解釈に抵抗し欺瞞を暴かねばならない」。

ナヴァスキーは、ヴェノナ文書を重視するクレアを「キャンプ・フォロワー」と呼んでいる。この表現は通常、移動するキャンプ（野営地）を追いかける売春婦を指して用いられる。

ナヴァスキーは、米国ジャーナリズム研究の最高峰とされ、ピューリッツァー賞を運営するコロンビア大ジャーナリズム大学院の名誉教授であり、同大学院が発行する『コロンビア・ジャーナリズム・レビュー』の会長も務めた。

さらに、ヴェノナ文書公開から9年後の2004年に、クレアが『アカデミック・クエスチョンズ』に発表した論文「過去の歪曲」には、以下のようなお粗末な米国歴史学界の実態が指摘されている。

OAH（米国歴史家協会）が発行する『ジャーナル・オブ・アメリカン・ヒストリー』は2000年に、ソ連崩壊まで米国共産党員だった歴史家ハーバート・アプセーカーに対して1998年に行なわれたインタビューを掲載する。アプセーカーによれば、「超然性あるいは非党派性を意味する客観性などという考え方は、正直なところ私には理解できない。（中略）客観性とは一体何なのか、よそよそしいことでも意味するのだろうか。それは右派に属することを意味する」。

このような特定のイデオロギーに基づく歴史記述を当然視する発言が、米国史研究で最も権威があるとされる学術誌に堂々と掲載されているのだ。ちなみに、インタビューは編集部の企画であり、明らかにアプセーカーに好意的なインタビュアーも、編集部が選んだと明記されている。

こうした学界の実態を反映して、教科書の内容も歪曲に満ちている。たとえば、ヴェノナ文書公開から8年経った2003年に出た、ジョン・ファラガーやマリー・ビュールら著名大学教授の手になる大学初年級向け歴史教科書『多くの中から』（第4版）。そこでは、ヒス事件を利用するニクソンの政治的野心が強調され、ローゼンバーグ夫妻を有罪にするため、共犯者とされた人物はFBIに秘密訓練を受けて証言したなど、まるで冤罪であったかのような書きぶりである。クレアが、他の教科書と比べても「とりわけ虚偽に満ち」、「ずさん」であると非難するのも頷（うなず）ける。

ヴェノナ文書公開から14年後の２００９年、クレアとヘインズが再度『アカデミック・クエスチョンズ』に発表した論文「修正主義の修正」によれば、反共伝統史観に基づいて書かれた米国共産党に関する論文を、『ジャーナル・オブ・アメリカン・ヒストリー』が最後に掲載したのは１９７２年。それから２００９年６月までの37年間、ひとつも掲載されていない。一方、米国共産党を肯定的に、あるいは反共側を否定的に描いた反・反共修正主義者の論文は、約40本掲載されている。

ただし、最近では、反・反共修正史観は退潮気味で、教科書にも改善が見られるようである。ローゼンバーグ夫妻、とくに夫のジュリアスがスパイであったことは一般的に受け入れられ、ヒスがスパイであったことも広く認められるようになるなど、米国共産主義者擁護の声は衰えてきている（クレア教授のご教示による）。

なお、前述の歴史教科書『多くの中から』の２０１５年に出た第８版では、いまだに「ヒスがスパイであったか否かについては歴史研究者の間で意見が分かれている」としている。一方で、「１９９０年代に解禁された文書により、ジュリアス・ローゼンバーグが有罪である証拠が示された（しかし、［妻］エセルは違う）」と一定の「改善」が見られる。

だが、2009年以降、伝統的反共史観のさらなる復権を後押ししたのは、ヴェノナに匹敵するか、それを上回る重要性を持つ文書「ヴァシリエフ・ノート」の公開であった。

「ヴァシリエフ・ノート」の公開が意味するもの

2009年に、まだ日本ではあまり知られていないものの、ソ連のスパイ活動を解明するうえで極めて重要な資料である「ヴァシリエフ・ノート」が公開された。

このノートは、ヴェノナ文書に引き続き、米国共産主義者は保守反動勢力によるいわれなき弾圧の犠牲者であり、「赤狩り」はでっち上げだったとする反・反共修正史観に、さらなる打撃を与えた。

ソ連崩壊後、困窮するKGB退職者を金銭的に支援すべく、KGB後継機関のSVR（対外情報局）は、米国の出版社と秘密文書に基づく書籍刊行の契約を締結する。なお、前章同様、ソ連時代は名称変更前も「KGB」と表記する。

この契約に基づき、SVRが選んだ元KGB工作員アレクサンドル・ヴァシリエフは、1994年から96年にかけて、主に1930年代から50年代にかけての米国での工作活動に関する非公開文書を閲覧することを許され、詳細なノートを作成する。

しかし、ロシア国内情勢の変化により、対外工作活動も含めて、ソ連時代を再評価する動きが強まったこともあって、このプロジェクトは中断される。ヴァシリエフが作成したノートに基づき、これを要約したものとして、『とりつかれた森』が公刊されたものの、ノート自体は公開されず、全貌は闇に包まれたままの状態が続いた。

この間、「反露（ソ）的」情報公開に関与したとして非難されることとなったヴァシリエフは、ロシアを離れ、英国に移住し帰化する。出国時に没収されることを恐れ、友人に託してあった全部で9冊のノートも、2001年に無事、ロンドンにいるヴァシリエフに届けられた。

このノートに基づき、クレア、ヘインズ及びヴァシリエフによって書かれたのが、『ヴェノナ』の続編ともいえる『スパイたち』である。さらに、ノート自体が米議会図書館に寄贈され、米議会が設置したシンクタンク、ウィルソン・センターのホームページで、ノート自体のスキャン画像版、ロシア語原文、及び英訳が無料で公開されている。

ソ連の諜報活動に関する最重要一次資料としては、ヴェノナ文書、ヴァシリエフ・ノートと並んで、もうひとつ「ミトロヒン文書」という資料が挙げられる。この文書は、MI

6の手引きで英国に亡命したKGB文書保管職員ヴァシリー・ミトロヒンが持ち出したもので、MI6が管理しており、MI6と関係が深いスパイ活動研究の第一人者クリストファー・アンドルーの手になる書籍（『剣と盾』、『世界は思いのまま』）が公刊されたものの、ミトロヒンがまとめたノートが公開されただけで、文書自体にはアクセスできず、その全貌は明らかになっていない。

また、ヴェノナ文書にしても、比較的短い期間の電信に限られ、当然ながら解読に成功した部分は一部に過ぎない。

したがって、期間も長く包括的に記録されているうえ、現物自体がデジタル化されて公開され、文字どおり世界中だれでもアクセスできるヴァシリエフ・ノートの価値は計り知れない。日本でも、2016年、ノートを活用した本格的研究書が出版された（佐々木太郎『革命のインテリジェンス』）。

ヴァシリエフ・ノートはヴェノナ文書などが明らかにしたソ連工作活動の実態を、ソ連側秘密文書で補強しただけにとどまらず、さらに多くの新しい事実を明らかにした。まず、ノートに基づいて書かれた『スパイたち』の第一章が「アルジャー・ヒス：解決済み」と題されているように、ノートは、ヒスがスパイであったことを疑問の余地なく示す、ダメ押しとなった。

また、ヴェノナ文書に「19」として登場するソ連スパイについては、ルーズベルト大統領側近のハリー・ホプキンスであるという説がこれまで有力であった。しかし、ヴァシリエフ・ノートによって、「19」はホプキンスではなく、すでにソ連スパイであることが判明していた国務省中堅幹部ローレンス・ダガンであることが確定した。

そして、ヴァシリエフ・ノートには、ヴェノナ文書同様、日本との係わりが深い人物が頻繁に登場する。財務省高官ホワイトである。

「ホワイト＝スパイ」説を、どうしても認めない人々

冷戦期米国を語る際には必ずといってよいほど取り上げられ、反・反共修正主義者の「偶像」と化したヒスやローゼンバーグ夫妻に比べると、ホワイトは、一般には比較的目立たない存在である。しかし、ホワイトは、ルーズベルト政権内部のソ連スパイのなかで最も高い地位を占め、政策決定に大きな影響力を及ぼした点で、ヒスに比肩するか、あるいはそれ以上に重要な存在なのだ。

なお、ホワイトの財務省における最終職名《Assistant Secretary》について、「次官補」という現在の定訳が用いられることが多い。今日の《Assistant Secretary》は、財務省ナンバー2の副長官（Deputy Secretary）の下にいる複数の「次官」と訳される《Under Secretary》のそのまた下の存在に過ぎない。それに対し、ホワイト在任中、副長官職は存在せず、ヘンリー・モーゲンソー財務長官に次ぐナンバー2は《Under Secretary》と呼ばれていた。つまり、ホワイトは今日の次官に相当するナンバー3の地位を占めていたわけである。

ホワイトのスパイ活動は、ヴェノナ文書とヴァシリエフ・ノートで疑問の余地なく示された。たとえば、２０１３年に公刊されたベン・ステイルの『ブレトンウッズの闘い』は、主たるテーマではないものの、『スパイたち』も引用しながら、疑いの余地ない事実であることを前提として、ホワイトのスパイ活動に相当数の頁（ページ）を割いている。

ステイルは、超党派の米国外交エスタブリッシュメントが集うＣＦＲのシニア・フェローであり、ホワイトがソ連エージェントというのは、「陰謀史観」などではなく、米国エリートの常識となったといえる。ところが、このホワイトのスパイ活動を淡々と描写した『ブレトンウッズの闘い』に激しい勢いで噛（か）みついた人物がいる。ホワイトが創設に深く関与したIMFで、長年にわたり史料編纂員を務めたジェームズ・ボートンである。

ボートンは、「ホワイトを汚す」と題した書評で、ホワイトを根拠のない臆測に基づいてスパイだと決めつけているとして、『ブレトンウッズの闘い』の著者ステイルを論難する。ボートンによれば、ホワイトがスパイであると証言した元ソ連スパイ、チェンバーズやベントレーは「悪名高い嘘つき」(notorious fabulists)であり、ヴェノナで明らかになったホワイトとソ連工作員の接触は、同盟国であったソ連政府職員との意見交換に過ぎない。

しかし、実際には、ヴェノナ文書に続きヴァシリエフ・ノートでも、チェンバーズやベントレーの証言の正確さが再び示された。たとえば、1930年代にホワイトが同じGRUスパイ網の一員だったというチェンバーズの証言。ノートに記された1942年11月のKGB報告には「『法律家』はかつて隣人の見習いだった」(«Юрист» в свое время был стажером соседей)という記述がある。「法律家」はホワイトのコードネーム、「隣人」はGRU、「見習い」はエージェントを指す。

さらに、ノートが明らかにしたところによれば、ベントレーがFBIに「寝返った」ことを察知したKGBのモスクワ本部は、1945年11月、米国支部にホワイトを含むソ連エージェントとの接触禁止を命じている。12月には、ベントレーがホワイトを含む41名のソ連エージェントの名前をＦＢＩに明らかにしたことを、英情報機関最上層部に入り込んだ伝説的スパイ、前述のフィルビーがＫＧＢに伝えている。

確かに、スパイとして活動していたのか、単に情報交換していただけなのか、どちらともつかないケースがままあることは否定できない。「スパイを命ずる」という辞令が出るわけではないのだから。また、ホワイトの場合、ソ連側の要求に必ずしも常に応じたわけではなかったことは、ヴァシリエフ・ノートにも記されている。

しかし、ヴェノナ文書によれば、ホワイトは１９４４年7月にソ連工作員と直接「情報交換」した際、「関連する文書を入手することは極めて危険である」と述べた後、こう断言している。

妻はいかなる自己犠牲の準備もできている。私自身、個人的安全など気にかけていない。しかし、露見すれば政治的スキャンダルとなり、新しい政策方針［ニューディールの意？］の全ての支持者の不面目となるので、極めて慎重に行動しなければならない。

ホワイトは覚悟のうえでスパイ活動をしていたのだ。さらに、ヴァシリエフ・ノートには、KGB工作員イスハク・アフメロフが、当時の米国の平均年収に相当する2000ドルを、KGBとの仲介役だったグレゴリー・シルバーマスターを通じて、ホワイトに渡したと記されている。

シルバーマスターは戦時中、米軍情報機関から、秘密共産党員であり「安全保障上のリスク」としてマークされていたにもかかわらず、いくつかの政府機関に継続して職員として勤務していた。シルバーマスターの雇用が問題になるたび、ホワイトが財務省高官の地位を利用して介入することで、事なきを得ていたのだ。

ただし、1945年のベントレーの「裏切り」で、ホワイトもその一員だったシルバーマスターを中心とするグループも含め、米国政府内のソ連スパイ網は壊滅的打撃を受ける。

これだけの確たる証拠を前にしても、IMFという名だたる国際機関で歴史記述の責任者を務めた人物が、ホワイトはスパイではなかったと言い張っているわけである。そもそも、ボートンはヴァシリエフ・ノートに一切言及していない。ボートンの主張を駁した論文「ホワイトを洗う」における、ヘインズとクレアの表現を借りれば、「否定論者には、自説に反する証拠はしばしば目に入らない」ということだろうか。

動機純粋論によるホワイト擁護

とはいえ、ソ連崩壊後、次々と出てきた証拠を前に、ボートンのようなスパイ活動全面否定論者は、反・反共修正主義者のなかでも少数派となりつつある。最近の傾向として、スパイ活動に従事していたことを認めつつ、その関与の度合いを矮小化したり、スパイたちの動機の「崇高さ」を持ち上げたりする議論が目につく。

その代表例が2004年にホワイトの評伝『反逆の疑い』を公刊したブルース・クレイグである。これまでのように「裏切り者」の証言だけならともかく、それを裏付けるヴェノナ文書という決定的証拠が公開された以上、ボートンのようにホワイトがソ連スパイではなかったと強弁しつづけることは、かえって自らの主張の信用性を失わせる。こうしたある意味賢明な判断に基づき、クレイグはホワイトが「スパイ活動の一種」(a species of espionage) に従事していたことは認めつつ、その動機が純粋であったことを強調する。

いわゆる「動機純粋論」である。しばしば、「日本的」と称されるこの擁護論は、クレイグに限らず、反・反共修正主義者の十八番といってよい。クレイグによれば、ホワイトは「世界平和のユートピア的ビジョン」への深い確信に基づいて行動していたのであって、その忠誠の対象は、米国やソ連といった個別国家を超えたところにあった。1948年8月16日に自宅で急死する3日前の8月13日、ホワイトが下院非米活動委員会に召喚された際、なぜ虚偽証言をしたのか。

彼は真実を語ることが世界平和を強化するうえで何ら役に立たないことを知っていた。実のところ、彼ほどの威信と影響のある人物が全ての真実を語ってしまえば、まだ残っていたソ連との平和的共存の可能性は完全になくなってしまう。(中略)ルーズベルト的国際主義と友人を守るため、証言を求められた彼は、嘘をつく決意を固め、そして実行した。

確かにクレイグが指摘するように、ホワイトは嘘をつくことで、同じソ連スパイだった友人を守ったかもしれない。しかし、ホワイトは自らを信頼して重用したルーズベルト大統領、モーゲンソー財務長官、そして数々のソ連エージェントではない友人を裏切ったのである。

なお、クレイグはヴァシリエフ・ノート公開後の２０１２年、あくまで父がスパイではなかったと主張するホワイトの娘ジョーン・ピンカムを批判し、ノートによって「少なくとも今日の法的基準からいえば、スパイ活動に当たる行為に関わっていなかったと主張する余地はほとんどなくなった」と述べている。

ホワイトによる対日工作の実像

ホワイトのスパイ活動といえば、ソ連工作員の指示の下、真珠湾攻撃の直接の契機となった「ハル・ノート」作成に関わったとされる、いわゆる「雪作戦」――ホワイト↓白↓雪という連想に基づく――が日本でもよく知られている。

ところが、この工作は、ヴェノナ文書にもヴァシリエフ・ノートにも一切出てこない。根拠となっているのは、もっぱら元ＫＧＢ幹部ヴィタリー・パヴロフの証言であり、日本で最初に雪作戦を詳細に取り上げた、須藤眞志（すどうしんじ）京産大名誉教授の『ハル・ノートを書いた男』も、パヴロフの証言に依拠して書かれている。

パヴロフは、1941年5月にワシントンで、自身がホワイトと会い、日本の対ソ攻撃を回避すべく、米国が対日強硬策を進めるようホワイトに依頼し、それが最終的にハル・ノートにつながったとする工作の経緯を、1996年に公刊した『「雪」作戦』で詳述している。ただし、そこには明らかな虚偽が多数含まれており、その内容を額面どおり受け取ることはできない。反共伝統史観を代表するヘインズとクレアも、パヴロフの証言は信用できないとして、『ヴェノナ』では注で言及するにとどめている。

逆に、反・反共修正主義者の中に、パヴロフを肯定的に引用している例がある。実は、パヴロフは、ソ連の工作活動を民主主義対ファシズムの視点から、米国の同盟国であったことを前面に押し出して描いている。つまり、修正主義者と同じ視点に立っているのだ。

たとえば、ソ連の工作活動は反日独であって、決して反米を意図したものではなかったとし、ホワイトやヒスらがスパイであったことも否定している。パヴロフによれば、チェンバーズやベントレーのような「裏切者や反逆者」の証言など全く信用ならず、米国情報機関も、なんら裏付けとなる証拠を見つけることはできなかったし、そもそも、ソ連情報機関は政府高官を「共同作業」（сотрудничество）に引きこむ工作などしていなかった！

このような真っ赤な嘘に基づき、白々しく、「情報源」（источники）となった米国人たちは反ファシズムの同志であり、祖国（米国）にいかなる害も与えていないと断言している。パヴロフはソ連崩壊後もKGBの栄光の歴史を守るべく、ディスインフォメーション工作を継続していると理解すべきだろう。

ただし、その証言内容が全くの捏造（ねつぞう）ということもできない。雪作戦への言及はないものの、ヴァシリエフ・ノートにも、KGBがホワイトを1941年にエージェントとして獲得したとある。また、この記述の後、1940年から41年の間にエージェントたちを通じて得た極めて重要な情報のひとつとして、ホワイトの項には、チャーチルからルーズベルトへの手紙の要約が挙げられている。ただし、中身の記述はない。

したがって、パヴロフが主張するように、1941年5月にパヴロフがホワイトに米国政府内で反日政策を推進するよう依頼したのは、おそらく事実であろう。結局、6月の独ソ開戦でヒトラーに先を越されたものの、この時期、スターリンも対独戦準備を本格化させていた。スターリンは二正面作戦回避を至上命題とし、4月には日ソ中立条約を締結している。

ただし、ルーズベルトと親しいモーゲンソーの絶対的信頼を利用して、ホワイトが所管外の対日外交に深く関与し、最終的にハル・ノートに結実した日本を追い詰める政策提言を行なったことは、KGBの工作の影響というより、ホワイト自身のイニシアティブによるところが大きかったと思われる。ちなみに、『ブレトンウッズの闘い』を書いたスティルも、そのように結論付けている。

これに対して、ホワイトが反日的考え方に至ったこと自体、それまでのソ連の工作の影響という反論があるかもしれない。すでに述べたように、ホワイトはKGBのエージェントとなる前の1930年代には、チェンバーズを中心としたGRUのスパイ網に属していた。

仮にそうであったとしても、そもそも米国の対日強硬外交は、ルーズベルト大統領本人の意向に基づくものであったことを忘れてはならない。国務省内でも、日本との妥協を模索するグルー駐日大使の影響力は限られ、極東外交のキーマンとなっていたのは、対日強硬論の急先鋒である国務長官特別顧問のスタンレー・ホーンベックであった。ちなみに、蔣介石(しょうかいせき)の支持者だったホーンベックは反共で知られ、国務省内の親中共派に敵視されていた。

したがって、ホワイトがソ連工作に影響されていたとしても、ホワイトの提案は大統領の意向に沿ったものであり、米国の国策に反していたわけではない。日ソ中立条約締結の背後で、日米を対立させるべくスターリンが策動していたことは間違いないにしても、日本に真珠湾攻撃を実行させた最大の要因が雪作戦だとはいえない。

スターリンは、日米の妥協が成立することを、真珠湾攻撃に至るまで、必要以上に恐れていた。実際には、ルーズベルトには日本に譲歩する考えなどなかった。少なくとも対日政策に限っては、ルーズベルトとスターリンの利害はおおむね一致していたのである。

それに対し、第13章で述べるように、対中政策におけるホワイトの活動は、ルーズベルトの国民政府支援方針に真っ向から反し、毛沢東（もうたくとう）率いる中国共産党を支援するスターリンの意向に沿ったものであった。ポーランドや国際連合など、米ソ間で激しい対立があった戦後の国際秩序をめぐる問題においても、ホワイトはソ連に有利になるよう行動した。米ソの国益が対立する場合、ホワイトは常にソ連の側に立ったのだ。

「影響力の代理人」（agent of influence）としてのホワイトの重要性は、対日よりも対中政策で、より大きなものがあったというのが筆者の結論である。

なお、雪作戦に関して英語で公刊されたものに、ジョン・コスターの『雪作戦』がある。読み物としては面白いものの、事実認識に誤りが散見され、作戦の重要性を強調し過ぎる嫌いがある。とはいえ、当時の日本の立場にかなり同情的視点から書かれた本書が、米国大手出版社から刊行されたことは注目に値する。

「ヴァシリエフ・ノート」を前にした反・反共主義者たち

ヴェノナ文書に続き、ヴァシリエフ・ノートが公開されたことで、ルーズベルト政権内部に多数のソ連エージェントが浸透していたことは、もはや厳然たる事実として、反・反共修正主義者も受け入れざるをえない状況となった。ソ連スパイ活動の有無とその規模に関する事実認識をめぐる論争においては、修正主義者は、クレアら伝統主義者に屈したといってよい。

だからといって、修正主義者が反・反共修正史観を改めたわけではない。前述のように、スパイ活動の重要性を矮小化したり、動機の「崇高さ」を強調したりすることで、ソ連スパイとなった米国人共産主義者を擁護することが最近の定番となっている。悪役はあくまで、共産主義者の理想に理解を示すことなく、ヒステリックに糾弾した反共主義者なのだ。修正主義者によれば、マッカーシーやニクソンのような「反動」政治家だけでなく、右派にすり寄った反共リベラルも米国の理想の敵ということになる。クレアも指摘するように、その典型例が著名な修正主義者エレン・シュレッカーである（『多くが罪』）。

こうした「スパイ」行動はそんなに恐ろしいことだっただろうか。実際にあったことは確かだけれども、政治的に抑圧的な国内防諜体制を構築せねばならないほど、スパイ活動は米国の安全保障にとって深刻な脅威だっただろうか。もっとニュアンスに満ちた立場を取ることが（中略）有益であろう。

冷戦後期のソ連スパイと異なり、１９３０年代と40年代にモスクワに情報を流した人々は、お金のためではなく政治的理由に基づいて行動していた。（中略）共産主義者として、こうした人々が、伝統的な愛国心のかたちにとらわれていなかった点を理解することが重要である。彼らは国際主義者であり、その政治的忠誠は国境を越えたものであった。

シュレッカーは、共産主義者スパイたちを「ニュアンスに満ちた立場」から同情的に理解しようと努める一方、「冷戦初期の熱烈な反共主義は、人間の心の奥にある闇や醜悪さに付け入った」として、反共主義者には容赦ない。修正主義者にとって反・反共主義は無謬（むびゅう）のドグマということなのかもしれない。

研究者の保身の論理と心理

致命的ダメージになると思われた秘密文書公開が続いたにもかかわらず、なぜ米国歴史学界において反・反共修正主義者がいまだ大手を振って闊歩（かっぽ）しているのか。

その理由として、今日の世界秩序のイデオロギー的基盤である反ファシズム史観と、反・反共修正史観の相性の良さがあることはいうまでもない。加えて、研究者の保身という側面も無視できない。

ソ連崩壊後、左派・リベラル知識人に過去の総括を迫った、前述のジェノヴィーズの「ザ・クエスチョン」に対し、修正主義のリーダー的存在であるエリック・フォーナーは、同時に掲載された短評で、人格攻撃に終始し、冷然と言い放つ。

ジェノヴィーズは、その論文からは理解するのが困難ながら、自分が左派の一員だと称しているけれども、その現在の見方と、はるかに多くの共通点を持つのは、19世紀の（中略）エリート主義的反リベラリズムの長い伝統や20世紀の右派イデオロギーの様々な表現である。社会変革へのコミットメントを堅持しつつ、社会主義の歴史を再考しようとする者にとって、彼が列挙する原則など何の役にも立たない。

フォーナーは米国史研究者が集うＯＡＨと歴史研究者全般が集うＡＨＡ（米国歴史学会）という二大学会の会長を歴任した米国歴史学界の大立者。ジェノヴィーズのような大家ですら、学界大ボスから罵倒され、あからさまに学者仲間からの排除を宣告される様子を見て、ただでさえ職を得るのが難しいとされる歴史研究者の世界で、その他大勢がどのように行動するかは想像がつく。

それは日本の大学と同様の光景である。前述の香西秀信は、日本の大学で進歩的と思われることの御利益（ごりやく）など皆無に近かったとする「丸山真男（まるやままさお）の極端な摩り替え」の詐術を暴いて、こう述べている（香西前掲書）。

ここで書くべきは、「進歩的」でないと見なされた大学教師が、「大学の内外から」どのような扱いを受けたかということです。何よりも、社会科学や人文科学の分野では、「進歩的」でないと見なされたら、(国立)大学に職を得ることすら困難でした。誰もが「進歩的」であるように見せかけていた時代に、「『進歩的』と思われる」ことなど何も利益はないと開き直っても仕方がありません。それは「進歩的」でないと思われることと比較して、初めて隠された「御利益」が見えてくるのです。

戦後正統イデオロギーとの親和性に「実利」の要素が加わった反・反共修正史観は、その根拠のなさにもかかわらず、少なくとも当分の間は米国歴史学界の主流であり続けるだろう。残念ながら、それが歴史「研究」の実情である。

Ⅲ　大衆と知識人

第9章　大衆と知識人は、どちらが危険か

知識人こそ最も簡単にプロパガンダに心奪われる
ジャック・エリュール

欧州における反EU・反移民勢力の躍進

２０１４年５月、ＥＵ加盟各国で行なわれた欧州議会選挙で、既成政党のみならず主流メディアも一体となったネガティブ・キャンペーンにもかかわらず、反ＥＵ・反移民政党が大きく票を伸ばしたことは、欧州エスタブリッシュメントに大きな衝撃を与えた。

欧州における反ＥＵ・反移民は、決して一時的現象ではない。

２０１５年５月の英総選挙では、英国独立党（UK Independence Party）が、全国で13％の支持を集め、得票率では保守・労働二大政党に続き、第三党となった。ただし、小選

挙区制のため、議席はわずか1議席にとどまった。その後、2016年6月の国民投票でEU離脱賛成が反対を上回り、英国独立党自体は見る影もなく衰退したけれども、結果的に、2019年12月の総選挙で大勝した離脱強硬派のボリス・ジョンソン率いる保守党政権が、その主張を実現するかたちとなった。

2015年12月の仏地方選挙では、第一回投票でマリーヌ・ルペン党首率いる国民戦線(Front National)が全国得票率28%で第一党となった。ただし、いずれの地方(地域圏)でも過半数が取れなかったため、第二回投票となり、主義主張を無視した左右の既成政党のなりふり構わぬ「野合」の結果、国民戦線は第一回とほぼ同じ27%の支持を得たものの、地方政治の主導権を握れる第一党には、どの地方でもなれなかった。

しかし、国民戦線の党勢は衰えることなく、2017年の大統領選挙でも敗れたとはいえ、ルペンは善戦した。4月の第1回投票で既成政党の候補をすべて退けたものの、反既成政党を旗印に立候補したエマニュエル・マクロンに次ぐ第二位となり、上位二人のみ進める5月の第2回投票におけるルペンの得票率は34%であった。ただし、土着の白人に限れば4割程度には達していたと思われる。大統領となったマクロンは、主流メディアと一体となった巧妙なキャンペーンで、既成政治勢力と一線を画した人物であるかのように印象付けることに成功したけれども、実際には、社会党政権で閣僚を務めたエスタブリッシュメントの一員である。なお、国民戦線は２０１８年に党名を国民連合(Rassemblement National)に改めた。

２０１６年4月に行なわれたオーストリア大統領選挙の第一回投票では、既成政党候補が惨敗し「極右」自由党候補が第一位、大きく離されて緑の党候補が第二位となった。上位2候補のみが進める5月の第二回投票では、一旦、14万票の差をつけ（得票率52パーセント）、自由党ノーバート・ホーファー候補が勝利したかに見えた。ところが、投票日翌日に開票された75万の郵便投票が加えられた結果、逆に緑の党アレクサンダー・ファン・デア・ベレン候補が3万票上回り（得票率50・3パーセント）、最終的に勝者となる。全体では得票率が拮抗（きっこう）しているのに、郵便投票では緑の党候補が自由党候補の1・6倍の票を得ていたのである（『ツァイト・オンライン』２０１６年5月23日付）。いずれにせよ、投票総数の半分を「極右」候補が得たことは間違いない。

反ＥＵ・反移民政党への支持は、これまでそれほど目立たなかったドイツでも広がっている。その背景にあるのは、メルケル首相が推進する「難民」受入れ拡大政策である。現在では、「難民」の多くが、よりよい生活を求める途上国からの経済移民に過ぎないことが明らかになってきた。ドイツ国民は、治安悪化など、メルケル首相の独りよがりな「人道」政策の負の影響を肌で感じ始めている。

こうしたなかで行なわれた２０１６年3月の州議会選挙で、国政にまだ議席を持たなかったＡｆＤ（ドイツのための選択肢、Alternative für Deutschland）が、ザクセン＝アンハルト州で24％を獲得して第二党となるなど、大幅に支持を伸ばした。そして、２０１７年9月の総選挙で13％を獲得し、二大政党（キリスト教民主・社会同盟と社会民主党）に次ぐ第三党となり、ついに国政に進出する。しかも、ザクセン州では両党を抑え、第一党になった。ドイツでは国・地方とも比例代表制なので、英仏と違い、得票数がそのまま議席数に反映される。メルケル首相らドイツの政治支配層は、自らの政策の正当化に、それ以外「選択肢がない」（alternativlos）という言い訳をするのが常である。「選択肢」という政党名には、こうした既成政治勢力に対するアンチテーゼの意味が込められているのだ。

このように、欧州各国エリートのむき出しの敵意にもかかわらず、反ＥＵ・反移民政党への大衆の支持は、強まることはあっても、弱まる気配はない。欧州のみならず、２０１6年11月の米大統領選挙におけるトランプの勝利にも、同様のことがいえる。なお、ここでは「エリート」を、政治、経済、教育あるいは言論で指導的役割を担い、主導権を握る社会階層の意味で使っている。

穏当な「極右」政党の主張

それでは一体、日米欧の主流派メディアから「極右」とされる反EU・反移民政党は、どれほど「過激」な主張を行なっているのだろうか。

欧州「極右」の老舗、フランス国民連合（旧国民戦線）を例に見てみると、２０１７年大統領選挙公約で明らかにされているEUや移民に関する具体的主張は、意外（？）に「普通」なのである。

まず、通貨統合が各国経済にダメージを与えているので、ユーロを廃止し独自通貨に回帰すべきという主張は、その実現可能性はともかく、経済合理性にかなっている。西村清彦日銀副総裁（現政策研究大学院大教授）が、２０１２年3月5日の講演で指摘しているように、「ユーロが導入されたのは、最適通貨圏の前提条件が満たされたからではなく（中略）メンバー国のアイデンティティを維持したままでも最終的には経済条件が本当に『収斂』するはず」という根拠薄弱な希望的観測に基づいたものであり、案の定、「貿易や金融を中心とした様々な不均衡（インバランス）が蓄積し、（中略）為替レートが調整される余地がないなかで、適切な調整メカニズムを欠いていたために、債務危機へとつながっていった」。

つまり、正統的経済理論の立場から見て、ユーロに経済合理性はないということである。本来、モノの移動の自由すなわち自由貿易と通貨統合は無関係であり、伝統的に経済合理性を重んじる英国はユーロに参加せず、独自通貨ポンドを維持している。

次に、移民については、全面禁止ではなく現状より一桁少ない年間1万人に制限し、同化政策を進めることで、フランスのアイデンティティを強化することを訴えている。既成政党や主流メディアは、移民排斥論と非難するものの、「共和的同化を推進する」(promouvoir l'assimilation républicaine）という国民連合の主張は、一昔前まで自由主義者や（反共）社会民主主義者の間でも常識であった。

たとえば、20世紀を代表する法哲学者ハンス・ケルゼンによれば、「多数決原理の適用には、ある種のいわば自然な限界が設けられている。多数派と少数派が一致してやって行こうとするならば、互いに理解し合うことができねばならない。（中略）多数決原理は民族的に単一な団体（ein national einheitlicher Körper）のなかでのみ完全な意味をもつ」

(『民主主義の本質と価値』)。

また、ケルゼンの友人で、同じくオーストリア出身の経済学者ヨーゼフ・シュンペーターも、デモクラシーが機能するのは、「すべての重要な利害関係者が、国に対する忠誠のみならず、現に存在する社会の構造的原理に対する忠誠においても、事実上一致している(practically unanimous)場合だけである」といっている(『資本主義・社会主義・民主主義』)。

ケルゼンやシュンペーターという、本来の意味での「リベラル」すなわち政治的自由主義者が、こうした不朽のデモクラシー論を書いた20世紀前半と現在で、状況が大きく変わったわけではない。多文化共生推進論者のハーバード大教授ロバート・パットナムは、2007年、米国地域社会の人種的同質性が低下すると、異なるグループ(人種)間だけではなく、同じグループ内の社会的連帯感も低下することを示した実証研究を、長年の逡巡(しゅん)(じゅん)の結果、学問的良心から公表に踏み切り、学界に大きな衝撃を与えた(「スカンジナビアン・ポリティカル・スタディーズ」第30巻第2号)。

あるフランスの政治家は、かつてこう語った。

黄色いフランス人、黒いフランス人、褐色のフランス人がいれば、それは素晴らしいことだ。その存在は、フランスがすべての人種に開かれ、普遍的使命を持つことを示す。ただし、その数がほんの少数（petite minorité）に過ぎない場合に限られる。さもなければ、フランスはもうフランスでなくなる。我々は何にも増して白色人種の、ギリシャ・ラテン文化の、そしてキリスト教の欧州の民なのだ。

これはルペン党首でも他の「極右」政治家でもなく、20世紀フランス最大の英雄にして今に続く第五共和制の父、シャルル・ド・ゴールの大統領在任中の言葉である（アラン・ペールフィット『それがド・ゴールだった』）。

さらに、移民の経済効果については、当該問題研究の第一人者で自身もキューバからの移民であるハーバード大教授ジョージ・ボーハスが、移民研究センターの報告で、米国経済に与える影響を次のように総括している。

移民が全体として既存国民に与える影響は、誤差の範囲といえるほど小さい（GDP0・2％増）ものの、それとは桁違いの所得再配分（GDP3％）をもたらす。具体的には移民労働と競合する労働者の賃金がとくに低下する一方、移民労働を利用する企業や個人が大きな利益を受ける。

英国経済への影響に関しても、2008年に英上院経済問題特別小委員会が同様の見解を表明し、年金等財政メリット論を全面否定している（『移民の経済効果』）。要するに、移民受入れ策とは所得格差を拡大する、極論すれば貧困化促進策なのである。

実行がともなわない既成の保守政治家

現在のEU拡大・統合推進や大量移民受入れは、戦後欧州再建を主導したド・ゴールらが健在だった時代には考えられない、一般大衆にとって益なきエリートの暴走である。しかも、この暴走を抑えるどころか、結果的に追随してきたのが既成保守政党なのだ。

2005年、パリ郊外の移民居住地域での事件を発端に、フランス全土に広がった大規模暴動の際、ニコラ・サルコジ内相はその強硬姿勢で人気を博し、2007年には大統領に選ばれる。しかし、国民の期待に反し、大統領在任中、なんら有効な移民規制策を実行することができなかった。

英国も事情は同じである。1997年から2010年まで続いたトニー・ブレア及びゴードン・ブラウン労働党政権による移民受入れ拡大策（13年間で２００万人以上）からの転換を期待されたデービッド・キャメロン保守党政権も、移民規制を唱えはするものの、やはり実効性ある手段をとるまでには至らなかった。ＥＵ残留論者だったキャメロンは、２０１６年6月の国民投票での離脱派勝利により、退陣を余儀なくされた。

欧州の既成保守政治家は、移民規制を求める世論に同調する発言はするものの、実行がともなわない「言うだけ番長」なのだ。

反ＥＵ・反移民政党の躍進は、具体的政策への支持というより、エリートの裏切りに対する根拠ある抗議というべきだろう。グローバル化について行けない愚かな大衆の間で、排外思考が高まっているというような見方は見当はずれも甚だしい。ＢＢＣのヒュー・スコフィールドがいうように、「望まない結果を無視するのであれば、デモクラシーは無意味である」（２０１４年5月26日付、『ＢＢＣ』インターネット版）。

好戦的なのは大衆ではない

デマゴーグのプロパガンダに左右され、排外的好戦的主張に飛びつく大衆の危険性とい

表9–1：米国民ベトナム戦争強硬策支持率

	1964年	1968年
全体	49%	37%
上層ホワイトカラー	55%	38%
非熟練労働者・失業者	38%	35%
大卒以上	58%	33%
中卒以下	32%	33%

出典：ハミルトン『抑制する神話』表5.4より一部筆者推計

うのは、知識人による大衆批判の定番である。昨今の欧州での反EU・反移民政党、あるいは米国でのトランプ大統領就任についても、こうした視点からの論評が、欧米のみならず、日本でも目につく。

しかし、本当に「危険」なのは大衆なのだろうか。実は、知識人が偏愛する大衆社会論は、実証的大衆社会研究で知られるリチャード・ハミルトン、オハイオ州立大名誉教授が『大衆社会、多元主義及び官僚制』で総括しているように、驚くほど実証的根拠に乏しい、一種の「物語」に過ぎない。

たとえば、1964年のトンキン湾事件を機に本格化した、米国のベトナム軍事介入を米国民はどのように見ていたのか。介入時の

1964年と反戦機運が高まった1968年で、エリートと大衆の見方がどう変わったのかを、世論調査に基づく実証研究（ハミルトン『抑制する神話』）を用いて作成したのが表9―1である。「わからない」という回答は除外して計算した。

強硬策（stronger stand）の支持率が、全体では1964年の49%から、1968年には37%に低下し、戦争が長引くにつれ、厭戦あるいは反戦気分が高まったことが見て取れる。しかし、エリートと（下層）大衆では当初、戦争への態度が大きく異なっていた。

まず、職業で分けて見ると、上層ホワイトカラー（専門職・管理職）の強硬策支持が55%から38%と、大幅に低下したのに対し、非熟練労働者・失業者は38%から35%で、最初から強硬策支持率が低く、変化は誤差の範囲といえる。

次に、学歴で分けて見ると、大卒以上の強硬策支持が58%から33%とやはり大幅に低下したのに対し、中卒以下（就学年数8年以下）は32%から33%で、最初から強硬策支持率が低く、変化はこれまた誤差の範囲といえる。なお、現在と違い当時は大学進学率が低かったので、大卒というのはエリートであったことに注意が必要である。

つまり、職業で見ても学歴で見ても、庶民は最初から軍事介入に積極的ではなく、当初、「正義」の戦いに熱狂したのはエリートであることがわかる。しかも、庶民の見方が安定しているのに対し、エリートは意見を大幅に変え、ある意味、戦況が悪化した1968年になって、やっと庶民の「素朴」な考えに追い付いたのである。

なぜエリートは豹変したのか。実は、当初、大半の新聞や雑誌が軍事介入に積極的であったのに、1968年の時点では逆に介入批判が基調となっていた。大衆社会論の主張とは逆に、メディアに操作されたのは上層中流階級であり、大衆はほとんどそうした影響を受けなかったのである。要するに、「風」に弱く、プロパガンダに左右されるのは「学のある」エリートなのだ。

自己欺瞞に長けたエリート

世界民主化の使命感に燃えるエリートの一部を除けば、米国では孤立主義的傾向が根強いことを考えると、厭戦気分濃厚な大衆と好戦的エリートという組み合わせは、ベトナム戦争が特異というわけではなく、むしろ普遍的現象である。

リベラルか保守かを問わず、エリートから蛇蝎のごとく嫌われているトランプ大統領は、一貫して対外軍事介入に慎重であるのに対し、2016年大統領選挙の対立候補だった、リベラル知識人が支持する民主党のヒラリー・クリントン元国務長官は、名うての対外強硬論者である。なぜか日本ではあまり言及されないけれども、2016年の大統領予備選挙における、反戦アウトサイダー候補、共和党トランプ及び民主党バーニー・サンダース上院議員への大衆の支持は、両党を牛耳る好戦的エリートに対する異議申し立ての側面を持っていた。

実は欧州も事情は変わらない。反EU・反移民政党は、基本的に「人道」を旗印とする米国主導の他国への軍事介入に批判的である。主流メディアから排外的と批判される「極右」国民連合も反欧州というわけではなく、自由という欧州文明の基本的価値に基づく主権国家間の「欧州国家同盟」(Alliance Européenne des Nations) を提唱し、フランスは多極化した世界で、ロシアとも関係改善を図り、「安定・均衡勢力」(puissance de stabilité et d'équilibre) を目指すとしている。いずれにせよ、これまで見てきたとおり、反EU・反移民政党が好戦的でないことだけは確かである。

そもそも、ハミルトン教授が指摘しているように、第二次大戦後、著名な政治社会学者シーモア・マーチン・リプセット(『政治のなかの人間』)らの影響で見方が逆転するまで、少なくとも第一次大戦が始まるまでは、好戦的なのは上流及び上層中流階級というのが、社会的共通認識であった。

要するに、好戦的であることがプラスの価値であった、弱肉強食の帝国主義全盛時代には、エリートが好戦的であることが堂々と主張されたのに対し、反戦平和がプラスの価値として確立した第二次大戦後は、根拠もなく大衆に比べエリートは平和的とみなされるようになったわけである。しかし、実際は帝国主義時代と同じく、エリートの好戦的傾向は変わっていない。

とはいえ、やはり大衆のほうがエリートより閉鎖的で排他的ではないのかという疑問を持たれる向きもあろう。確かに今日、欧米で表立って多文化共生を否定するエリートは少ない。

ただし、建前と本音の使い分けが巧みなのが、これまたエリートの特徴である。米国での実証分析によれば、子供の教育に関して、白人は学歴が高くなるほど白人比率の高い学校を選ぶ（デービッド・シキンク他『エスニック・アンド・レーシャル・スタディーズ』第31巻第2号）。

日本のエリートも例外ではない。表向きはダイバーシティ（多様性）の尊重と推進を唱えながら、自分の子供は、近所の庶民の子供と一緒になる公立中学校を避け、育った環境と学力の類似した子供の集まる国私立中高一貫校――しかも、私立の場合はほとんどが男女別学――に通わせているのである。

秘密投票は自由の最後の砦（とりで）

なぜエリートはプロパガンダに左右されやすいのだろうか。この点に関しては、ジャック・エリュールが、半世紀以上前に公刊された『プロパガンダ』で、説得力があるのみならず、ハミルトン教授の実証分析とも整合的な見方を提示している。

知識と教養を誇るエリートは、確かに多くの情報に接しており、それを吸収しようとする。とはいえ、そのほとんどは真偽を自ら確かめることができない、二次情報に過ぎない。エリートの自負ゆえ、政治経済文化全般の重要とされる問題に「自分」の意見がないことに我慢できない一方、現代社会は複雑であり、事実を冷静に吟味し判断することなど、限られた少数の問題以外不可能である。それゆえ、重要な問題にお手軽な「解決」を提供するプロパガンダは、エリートにとって魅力的なのだ。

もちろん、エリートは自分にはプロパガンダなど無効だと信じている。そして、それこそが最大の弱点となる。エリートはこの根拠のない自信と優越感を利用され、容易にプロパガンダに取り込まれてしまう。

エリートに強硬論が支配的だった1960年代半ば、すでにベトナム戦争には勝てないと確信していたコンラッド・ケレンは、『プロパガンダ』英語版序文でこう指摘した。知識人たるエリートは「自分たちは『独自に判断』できると考える。彼らは文字通りプロパガンダを必要とするのだ」。

だからといって、単純な大衆礼賛論も根拠がない。大衆のプロパガンダに対する耐性は、政治的無関心と表裏一体である。この問題に関する実証研究が盛んな米国の例でいえば、2000年大統領選挙前の世論調査で、上下両院で多数党はどちらかという二択問題(でたらめに答えても正解率50％)の正解率は、下院が55％、上院が50％であった(イリヤ・ソミン『民主主義と政治的無知』)。

プロパガンダに弱くイデオロギーに囚(とら)われたエリートと、政治に無関心な大衆。この現実を前にしては、左右の知識人が口角泡(こうかく)をとばすデモクラシー論が空虚に響く。

デモクラシーのモデルとされる米国でさえ、大多数の国民は政治に無関心であり、国民が積極的に政治に参加するという「理想」は実現不可能といわざるをえない。シュンペーターがいうように「デモクラシーが意味するのは、自分たちを支配しようとする者を受け入れるか、それとも拒否するか、国民に決めるチャンスがあることに尽きる」。

とはいえ、「真」のデモクラシーからはほど遠くとも、秘密投票による政権交代の可能性が存在することは、支配される者、すなわちほとんどの国民にとって、大きな意味を持つ。確かに、日常とは直接関係のない政治問題についてはよくわからなくても、「自らが直接観察できることや、新聞の報道がどうあろうと、自分がよく知っていること」に関しては、「可能な限り合理的に行動しようとする意思や、合理性に向けた不変のプレッシャーが存在することに、異論を差し挟む余地はない」。

エリートが推進する大量移民受入れがもたらす治安悪化や賃金低下といった現実、だからといって口先だけの既成保守政治家も頼りにならないという現実は、難しい政治問題ではなく、まさに「自らが直接観察できること」である。素直に実感を吐露すると人種差別主義者と糾弾される今日、自由の最後の砦（とりで）である秘密投票を通じて、欧米の大衆は「王様は裸だ」と叫んでいるのである。

「自分たちを支配しようとする者を受け入れるか、それとも拒否するか、国民に決めるチャンス」である国政選挙を念頭に、メルケル首相も「難民」受入れにブレーキをかけざるをえなかった。こうした動きは、大衆迎合というよりも、デモクラシーがまだ完全には機能不全に陥っていない証拠と理解すべきであろう。

第10章　ナチスを支持したのは、はたして誰か

リベラル＝ラジカルの下層中流階級に対する隠れた偏見は鼻持ちならない

マイケル・ラーナー

丸山真男（まるやままさお）の日本ファシズム論

第6章で述べたように、中国共産党政権は、昨今、対日歴史戦争において、「反ファシズム」を前面に出してきている。たとえば、習近平（しゅうきんぺい）国家主席は、2014年7月7日（盧溝橋事件勃発の日）の演説で、対日戦を『世界反ファシズム戦争の東の主戦場』と表現し、米露をはじめ国際社会への連携呼びかけを強める構えを示した（『朝日新聞』2014年7月8日付朝刊）。

この戦前戦中の日本の政治体制がファシズムだったという主張は、しかしながら、国内でもかつては通説といってよかったし、ひょっとしたら今でも左翼・リベラル知識人の間ではそうなのかもしれない。そして、日本ファシズム論の「理論家の代表は、元東京大学教授の丸山真男氏で、いわば教祖(?)のごとく大きな影響を与えてきた」(西義之『誰がファシストか』)ことは、いうまでもないだろう。

ここではまず、丸山の日本ファシズム論に関して、今まであまり指摘されてこなかった、その主張の良くいえば普遍性、意地悪くいえば先行研究をなぞっただけの凡庸さについて触れてみたい。

丸山ファシズム論の嚆矢といえる、1947年に発表された「日本ファシズムの思想と運動」(『現代政治の思想と行動』所収)では、国家機構としてのファシズムと、ひとつの運動としてのファシズムが区別され、もっぱら後者の運動とその思想に力点が置かれている。運動について語るとすれば、当然その担い手の分析が重要な論点となる。従来、その是非はともかく、ここに丸山ファシズム論の独自性があると考えられてきた。

丸山はまずファシズム一般論から入る。

ファシズムというものはどこにおいても運動としては小ブルジョア層を地盤としております。ドイツやイタリーにおいては典型的な中間層の運動でありまして、――インテリゲンチャの大部分も、むろん例外はありますが、積極的なナチズム、ファシズムの支持者でありました。日本におけるファシズム運動も大ざっぱにいえば、中間層が社会的な担い手になっているということができます。

しかし、丸山によれば、日本の場合、中間層をさらに二分することが不可欠とされる。

わが国の中間階級或は小市民階級という場合に、次の二つの類型を区別しなければならないのであります。第一は、たとえば、小工場主、町工場の親方、土建請負業者、小売商店の店主、大工棟梁、小地主、乃至(ないし)自作農上層、学校教員、殊(こと)に小学校、青年学校の教員、村役場の吏員・役員、その他一般の下級官吏、僧侶、神官、というような社会層、第二の類型としては都市におけるサラリーマン階級、いわゆる文化人乃至ジャーナリスト、その他自由知識職業者（教授とか弁護士とか）及び学生層――学生は非常に複雑でありまして第一と第二と両方に分れますが、まず皆さん方は第二類型に入るでしょう。こういつたこの二つの類型をわれわれはファシズム運動をみる場合に区別しなければならない。

　わが国の場合ファシズムの社会的基盤となつているのはまさに前者であります。


　丸山はこの中間層の第一類型がファシズム運動の担い手となった点を日本の特質と考え、自身の日本ファシズム論を展開している。ところが、中間層あるいは中流階級を二分し、丸山のいう第一類型である下層中流階級をファシズムの主たる担い手とする主張は、「下層中流階級説」（Lower-Middle-Class Thesis）と呼ばれ、１９３０年のドイツ総選挙で、ヒトラー率いるＮＳＤＡＰ（Nationalsozialistische Deutsche Arbeiterpartei）すなわち「ナチス」が台頭した直後から登場し、長年、欧米学界で通説の地位を占めていた。

　丸山の日本ファシズム論は、もっぱらドイツを念頭においた欧米のファシズム論の、日本への応用に過ぎないともいえる。しかも、丸山は言及していないものの、下層中流階級説は、戦前すでに日本の学界に紹介されていた。

　丸山が東大在学中の１９３５年、東大法学部の先輩で法政大教授の堀真琴（ほりまこと）は、吉野作造（よしのさくぞう）追悼記念論集『政治及政治史研究』に「ドイツ中間層の社会的地位、その運動及びイデオロギー」と題した論文を寄稿している。

そこで堀は中間層を二つに分け、「上層にありては（中略）ブルジョアジーたり得るものもあるが、その中層以下、就中その下層に至りては（中略）プロレタリア的地位に下降するものが多い」とし、そのプロレタリア化した下層中流階級（という表現は用いていないが）に支持されたのがナチスだと断言する。「大戦後のドイツに於てナチスが驚異的躍進を遂げたことは、周知の如くであるが、これは全くその地盤を中間層に置いたがためである。或る意味に於ては、大戦後急にその勢いの著しくなつて来た中間層プロレタリア化の過程を利用して、その政治的地位を築き上げたものとも見られるのである」。

勉強家の東大生丸山が、東大出身の政治学者がそろって寄稿したこの論文集、なかでも本人の関心に合致したであろう堀の論文を読まなかったとは考えにくい。

堀は上記論文でも言及されている自著『現代独裁政治論』（１９３３年刊）で、「白襟労働者の大部分を占める前下級士官、小売商人、手工業者等はプロレタリアートと共通の利害関係を有するにも拘らず、プロレタリアートを最も敵視して」おり、「小売商人、手工業者、小資本家等も亦、今日の段階に於ては、漸次プロレタリア化する運命を担つてゐる」にもかかわらず、「小経営者として労働者や職人や徒弟を働かせる限りに於て、彼らはプロレタリアートの階級闘争に対立するのである」と記している。丸山が日本ファシズムの特徴として強調する、労働者と下層中流階級の対立と同じ主張である。

下層中流階層に罪をなすりつける人々

堀の上記著作刊行と同年に、前述の米国の著名な政治学者ハロルド・ラスウェルも「ヒトラー主義の心理」(『ポリティカル・クオータリー』第4号第3巻)という論文を発表し、英語圏における下層中流階級説の先駆けとなった。「ヒトラー主義は下層中流階級の捨て鉢の反応」であって、「下層中流階級の心理的窮乏化は、その成員の人格に情緒不安を引き起こした」というラスウェルの主張は、担い手の心理を重視する丸山ファシズム論を想起させる。

こうしたヒトラー支持者下層中流階級説の源流をたどって行くと突き当たるのが、堀も引用している、1930年総選挙のナチス躍進直後に発表された、当時のドイツを代表する社会学者テオドール・ガイガーの「中間層のパニック」(Panik im Mittelstand)である(『アルバイト』第7巻第10号)。ガイガーはさらに1932年に『ドイツ国民の社会階層』

を公刊し、下層中流階級説を敷衍（ふえん）している。

ガイガーは「中間層」という用語を使っているものの、中間層の上に位置する大資本家は国民全体のわずか1%としているので、それ以外の社会のエリート層はすべて広義の中間層に含まれる。実際、ナチス支持を「小市民過激主義」(kleinbürgerlicher Radikalismus) と表現するなど、「中間層のパニック」から上層中流階級（丸山のいう第二類型中間層）が除外されていることは明らかである（Kleinbürgertum の英訳が lower middle class)。典型的中間層として公務員を取り上げる際も、上級と中下級を区別し、ナチスを支持しているのは後者だとしている。

後に世界的通説となる、ガイガーら当時のドイツ人研究者の下層中流階級説は、マルクス主義の強い影響下にあり、堀の上記著作にも、その傾向は明瞭に引き継がれている。

そして、ガイガーからさらに遡（さかのぼ）ると、最後は堀も引用している『共産党宣言』（大内兵衛他監訳）にたどり着く。歴史の必然として、「従来の中間身分の下層（kleine Mittelstände)、すなわち小工業者や、小商人や、小金利生活者や、手工業者や、農民、これらの全ての階級は、プロレタリアートに転落する」のに、「この人々がブルジョアジーとたたかうのは、すべて中間身分としての自分の地位を没落から守るためである。したがって、彼らは革命的ではなく、保守的である。それどころか、反動的でさえある。なぜなら、彼らは歴史の車輪を逆に回そうとするのだからである」。

丸山ファシズム論は明らかにマルクス＝ガイガー＝堀の系譜にある。西義之が指摘しているように、「丸山氏は、自らを非マルクス主義者だと言っているが、にもかかわらず、そのファシズム観はマルクス主義者のそれである」。

では、どの階層がヒトラーを支持したのか

実際のところ、ヒトラーを支持したのは誰だったのか。

ここでは、ナチス支持層研究の第一人者マインツ大教授ユルゲン・ファルターの『ヒトラーを選んだ人々』に依拠して、日本で必ずしもよく知られていない、ヒトラーの支持基盤を明らかにしたい。

具体的には、1933年1月のヒトラー政権成立前、比例代表制の総選挙でナチス支持が最高を記録した1932年7月の選挙結果を分析する。この選挙で、有権者総数に対するナチス絶対得票率は31％、有効投票総数に対する相対得票率は37％であった。ちなみに

表10–1：宗派・農村都市別ナチス絶対得票率

	農村	都市	計
全体	34%	28%	31%
カトリック地域	17%	19%	18%
プロテスタント地域	41%	32%	37%

出典：ファルター『ヒトラーを選んだ人々』表6.15

近年、日本の国政選挙で絶対得票率が三割を超えた政党はない。

都市化・工業化で疎外された下層中流階級といった場合、通常は都市住民を想定しがちであるけれども、ナチス得票率は都市より農村のほうが高かった。そして、ナチス支持層を検討するうえで決定的に重要な論点が、宗派（カトリックとプロテスタント）による支持の差、とくに農村における極端な違いである。

ナチスといえば、カトリックの牙城(がじょう)であるバイエルン州のミュンヘンに本部があり、カトリックの保守・反動的イメージから、読者は、プロテスタントに比べ、カトリック地域でのナチス得票率が高かったと予想されるかもしれない。加えて、ヒトラーはカトリック教徒であった。

しかし、この「常識」的推論は全くの誤りなのだ。表10―1は全体を農村と都市（有権者総数をほぼ二分）、さらにカトリック地域（カトリックが四分の三以上）とプロテスタント地域（カトリックが四分の一未満）に分けて示したナチス絶対得票率である。カトリックが四分の一から四分の三の宗派混在地域は省略した。農村だけで見れば、カトリック地域17％に対しプロテスタント地域は41％、全体で見ても、それぞれ18％と37％で二倍以上の差がある。都市では社会民主党や共産党が強固な支持基盤を確立していたため、プロテスタント地域でのナチス得票率は32％に低下するものの、それでもカトリック地域の19％を大幅に上回っている。

前述のハミルトン教授が『誰がヒトラーに投票したか』で指摘するように、大都市で見ても、本部があるミュンヘンですら、ナチス得票率は、左翼の牙城でユダヤ人も多い首都ベルリンと同程度、ハンブルク、ライプチヒあるいはドレスデンといった同規模のプロテスタント都市には及ばなかった。

表10―2に示したように、（ヘッセン及びバーデン州）農村をさらに人口規模別に分けると、プロテスタント農村（カトリックが三分の一未満）におけるナチスの圧倒的人気

表10–2：農村人口規模・宗派別ナチス絶対得票率

	プロテスタント	カトリック
250人未満	72%	23%
250～500人	63%	21%
500～1000人	56%	19%
1000人～2000人	46%	20%
2000人以上	38%	23%

出典：ファルター『ヒトラーを選んだ人々』表6.17

が、さらに明白となる。人口250人未満の農村では絶対得票率が実に七割を超え、棄権者を除いて投票所に足を運んだプロテスタント住民のほぼ全員がナチスに一票を投じたことを示している。人口規模が大きくなるにつれてナチス得票率が下がるのは、表10―1で示した農村と都市の得票率の違いとも整合的である。なお、カトリック農村（カトリック三分の二以上）では、人口規模別のナチス得票率にほとんど差はなく、一貫して二割程度と低かった。

農村におけるナチス支持の多寡（たか）は宗派の違いが決定的であり、仮に農村住民の大半が下層中流階級に属すると主張するのであれば、下層中流階級説はプロテスタント地域にしか当てはまらず、カトリック地域においては逆に下層中流階級にそっぽを向かれたということになる。いずれにせよ、決して階層化しているとはいえない「田舎」のプロテスタントの圧倒的支持によって、ヒトラーは政権を獲得したのだ。

エリートも労働者も支持した国民政党

ヒトラーへの支持は表10―1でも明らかなように、プロテスタント農村＞プロテスタント都市＞カトリック都市＞カトリック農村という順序で低下する。プロテスタント地域においては、農村に比べて都市でのナチス得票率が低下する一方、カトリック地域の都市と農村では、ほとんど得票率に差がない。そのため、都市では宗派によるナチス得票率の差が縮まる。

それゆえ、ドイツ全体では、宗派の相違という決定的要因に比べて、二義的な意味しか持たないとはいえ、都市とくに大都市に限れば、やはりヒトラーの支持基盤は、圧倒的に下層中流階級であったのだろうか。

しかし、直接この点をデータで検証することは難しい。当時は現代ほど経済のサービス化が進んでいなかったこともあり、マルクス主義でいうプロレタリアートすなわちブルーカラー労働者（以下「労働者」）という階級の存在は明瞭であったし、データ集計も比較的容易であった。

一方、ごく少数の資本家を除くと、労働者以外を概念的に上層中流と下層中流階級に分けることはできても、世論調査が今ほど普及していない当時の資料をもとに、中流階級を上層と下層に区別した信頼度の高い投票分析を行なうのは、事実上不可能である。農民や自営業者等の旧中間層とホワイトカラー等の新中間層に分けるのは、データ集計上は比較的容易なものの、上層中流と下層中流階級の区別とは一致しない。ホワイトカラーといっても、大企業経営幹部から末端の事務員までその幅は広い。

当時の有権者全体に占める割合は、それぞれ家族を含めて、労働者が45％、上流・上層中流階級が5％、残り50％が新旧中間層とされている。ファルター教授は、新旧中間層を区別した分析を行なっているものの、データの制約から上流・上層中流階級もそこに含まれてしまっているので、ここでは新旧中間層を一括し、労働者45％と中・上流階級55％に大別する。後者の大多数は下層中流階級ということになる。

下層中流階級説が正しければ、ナチスはその支持を労働者からはほとんど得られなかったはずである。ところが、ナチス総得票数に占める労働者と中・上流階級の比は四対六で、ほぼ有権者総数の割合に対応しているのだ。

要するに、中・上流階級とそれほど変わらない支持率を労働者から得たことが、ヒトラーの選挙を通じた政権獲得を可能にした。さらに、全体でも都市だけで見ても、地域の失業率と得票率に高い正の相関がある共産党とは対照的に、ナチス得票率は地域の失業率が高くなるほど逆に低くなっている。失業したから労働者がナチスを支持したわけではない。

それでは上流・上層中流階級と下層中流階級の間で、投票行動に目立った違いはあったのだろうか。データの制約から確定的なことはいえないものの、不十分ながら地区別データを得ることができた人口規模上位14都市から、カトリックが八割を占めるミュンヘンとケルンを除いた12都市のうち11都市で、ハミルトン教授は上流・上層中流階級が住む地域で、ナチス得票率が他地域よりも高かったことを示した。

ファルター教授は、「この観察結果から見て、プロテスタント・ドイツでは社会階層とNSDAP［ナチス］への投票の間に正の統計的相関があり、個人の投票行動に移しかえて考えると、平均していえば、NSDAPへの投票はプロテスタント上流・上層中流階級が中下層中流階級より多く、中下層中流階級は下流階級より多かったと解釈するのがもっともなことであろう（wahrscheinlich）」と指摘している。

さらに、この上流・上層中流階級のナチス支持率が高かったという仮説は、政権獲得以前の党員、とくに幹部党員に占める上流・上層中流階級の比率が、その人口を考慮すると突出していたという事実とも辻褄が合う（デトレフ・ミュールバーガー『ナチズムの社会的基盤』）。

長年、疑問の余地のない「常識」とされてきたナチス支持下層中流階級説は、実証的根拠を欠いた一方的主張だったのである。確かにプロテスタントの下層中流階級に、比較的ナチス支持者は多かったけれども、決してその支持率が労働者と比べ突出していたわけではなく、おそらく上流・上層中流階級の支持率より低かった。そして、下層中流階級も含め大多数のカトリックは、ナチスを拒絶したのである。

政権獲得前のナチスが、特定の階級に支持者が偏った階級政党ではなく、すべての社会階層から万遍なく得票した国民政党（Volkspartei）、正確にはプロテスタントの国民政党であり、その指導層において、エリートの比率が高かったことは、かつて下層中流階級説を主張していた研究者も含めて、独英米学界では今やコンセンサスとなっている。

なぜ「下層中流階級」に対する偏見が広まったのか

それにしても、「反動的」下層中流階級という、ドイツのマルクス主義者起源の実証的根拠を欠いた見方が、なぜ長期にわたって研究者の間でも信じられてきたのだろうか。

ヒトラー政権樹立によって、多くの（とくにユダヤ系）ドイツ人研究者は米国に渡り、新天地での社会科学研究をリードする存在となる。その中心にいたのが大衆の「病理」を主要テーマとするフランクフルト学派であったことを考えれば、ドイツ発祥の下層中流階級説が世界的通説となり、ワイマール共和国時代のドイツに限らず、時と場所を超えて、普遍的に適用されていったのは、ある意味、当然の成り行きであった。

そして、ハミルトン教授が指摘しているように、「外部と隔離された共同体内の見方は、時を経るにつれて、一般社会における見方と乖離（かいり）していく」。学者も含め知識人の世界というのは典型的な「外部と隔離された共同体」であり、一度確立した通説が、批判的検討なしに受け継がれていくことは、とくに人文・社会科学分野では珍しくない。

さらに、データで実証することが難しいとはいえ、ハミルトン教授は、下層中流階級説には心理的根源とでもいうべきものが存在するという、説得力ある仮説を提示している。

下層中流階級説を提唱したドイツ人研究者は、ロシア革命時の反ボルシェビキ同様、政治的敗者であり犠牲者であった。したがって、「議論のなかに、分析とは関係のない、極めて感情的な道徳的非難の言明を伴った怒りや復讐心の要素が目につく」ことは、驚くに値しない。彼らのスケープゴートに選ばれた「下層中流階級は、敵意を向ける格好の標的として用いられているのだ」。

「パニック状態に陥り、無力な人間を支配するとともに、それに服従しようとする願望に満ちていた」のが下層中流階級であり、「ナチズム興隆の重要なファクターとなった（中略）下層中流階級の破壊性の根底に（中略）個人の孤独と個の解放の抑圧があることは、容易に見て取れる」と断言するエーリッヒ・フロムは、その典型であろう。全編この調子の『自由からの逃走』から「容易に見て取れる」のは、下層中流階級ではなく、フロム自身の破壊性である。

差別偏見を糾弾してやまない知識人の世界で、下層中流階級に対する妄言だけは「尊敬される偏見」（respectable bigotry）として半ば奨励されているのだ（マイケル・ラーナー『アメリカン・スカラー』第38巻第4号）。

丸山真男の日本ファシズム論は、主張の是非はともかく、下層中流階級への敵意むき出しの嘲笑的表現が目を引く。一種のヘイトスピーチである。しかし、丸山はこの点でも、実に「月並み」な下層中流階級論者に過ぎない。あるいは、さすが欧米での流行に通じた日本型優等生というべきか。

いずれにせよ、下層中流階級にスケープゴートを求める心理は、丸山のみならず、今もこの戦後民主主義の「教祖」を崇(あが)める多くの日本の知識人にも、厳として存在するように思えてならない。

Ⅳ　中国共産党政権誕生の真実

第11章　毛沢東はスターリンの傀儡だった

スターリンは早く死に過ぎ、
毛沢東は長く生き過ぎた
マイケル・ション

明らかにされたスターリンの決定的貢献

中国共産党政権によって、「反ファシスト戦争・抗日戦争勝利70周年」と位置付けられた2015年、王毅外相は、全国人民代表大会開催中（3月8日）の記者会見で、「70年前に日本は戦争に敗れた。70年後に良識を失うべきではない」として、まだ発表前だった安倍首相の戦後70年談話を露骨に牽制する発言を行なった。

「王外相は歴史問題に関して『加害者が責任を忘れずにいて、初めて被害者の傷は癒える』との先人の言葉を持ち出し、『日本の政権を握る者は、胸に手を当てて自問すべきだ』と要求。日中関係を阻害しているのは日本側との従来の認識を示し、『歴史の重荷を今後も背負っていくのか、過去を断ち切るのか』と迫った」。中国は第二次大戦の「戦勝国の立場を誇示し、歴史カードで対日圧力を強める姿勢を一段と鮮明にした」（『産経新聞』2015年3月9日付）。

少なくとも共産党支配が崩壊するまで、こうした歴史観が中国の正統史観であり続けるだろう。とはいえ、中国共産党が天下を取ったのは1949年、戦争が終わって4年後である。最終的に国共内戦に敗れ、台湾を支配するのみとなったけれども、1945年8月の日本軍降伏時、国際的に承認されていたのは、中国共産党と敵対していた蔣介石国民政府なのだ。1937年に始まった支那事変において、日本軍が主に戦った相手は共産（党）軍ではなく、国民党軍（国民革命軍）であった。1944年に実施された日本軍の大攻勢である大陸打通（一号）作戦で、深刻な打撃を受けたものの、1945年8月の段階では、政治的軍事的に、国民政府は中国共産党をまだ凌駕していた。

1945年に終わった日本との戦いを「反ファシスト戦争・抗日戦争」と呼ぶことは、中国共産党政権の歴史認識表明であって、筆者が容喙すべき事項ではない。しかし、連合国の一員として、米国の支援を受け、この戦争に勝ったのは、毛沢東の共産党ではなく、蔣介石の国民政府だという事実を消すことはできない。この事実は、蔣政権が米帝国主義の傀儡であるとか、腐敗していたかどうかとは関係がない。

さて、軍事的経済的に米国に依存していた蔣介石や日本の傀儡である汪兆銘とは異なり、毛沢東はスターリンと常に距離を置き、国際共産主義運動の一員というより、帝国主義に圧迫される中国を救おうとする民族主義者、あるいはナショナリストであったという見方が、共産党政権成立前から唱えられていた。

この見方からすれば、米国の敵視政策が、毛沢東をソ連側に追いやったということになる。米国で「失われた機会」（Lost Chance）と呼ばれる主張である。日本ではいまだ根強い見解かもしれない。

しかしながら、ソ連崩壊と前後して、ロシアだけでなく中国でも文書公開が進み、これまで知られていなかった、スターリンと毛沢東の蜜月ぶりが明らかになった。要するに、蔣介石が米国の、汪兆銘が日本の「傀儡」だとすれば、毛沢東はソ連の「傀儡」だったのだ。

スターリン死後、毛は中国革命の独自性を強調することで、その指導者たる自らのカリスマ性を高めようと、スターリンとの関係を否定的に描く、事実に反した情報操作を行なう。日本のみならず、多くの欧米研究者も、毛に騙(だま)されてきたわけである。

こうした従前の研究に対し、中国から米国に渡った研究者たちは、中国を含む各国で公開された文書を利用することで、中国共産党の国共内戦勝利に対する、スターリンの決定的貢献を明らかにした。ここではまず、こうした研究者のひとり、マイケル・ショーン、アクロン大教授が『西洋帝国主義とのたたかい』で提示した、これまでとは異なる、毛沢東と中国共産党に対する見方を紹介したい。

中国に「国民国家」という概念は存在しない

日本が戦った相手は蔣介石率いる国民政府であり、中国共産党ではないという立論に対しては、詭弁(きべん)に過ぎないとして、次のような反論が予想される。

日中戦争は日本と中国という国民国家（nation state）間の戦いであり、日本の主敵が共産軍ではなかったことは二義的な問題である。中華人民共和国は国際的に承認された国民政府の後継国家であり、中国の現政権が「反ファシスト戦争・抗日戦争」の勝者として戦後70年を祝うのは当然だ、と。

しかし、中国出身のション教授は、当時の中国を、日米欧諸国のような国民国家であることを前提に議論することの問題点を、的確に指摘する。実際、以下に紹介するション教授の議論は、一部の専門家を除いて、中国文明・文化のことを全く知らない欧米人より、中国の古典や歴史に関する知識がかなりの程度常識となっている日本人のほうが理解しやすい。

まず、ション教授は「多くの研究者が指摘するように、中国語には《nation》概念に対応する単語はない」とし、「民族」という単語は「漢族」や「チワン族」のような一定の人間集団のエスニック、あるいは人種的アイデンティティを示すだけで、政治的統一体を構成するものではないとする。エスニック・アイデンティティや過去の集団的記憶は、ナショナリズム（nationalism）の重要な源泉であっても、ナショナリズムそのものではない。たとえば、孫文（そんぶん）の「民族主義」は反満洲主義であって、近代的ナショナリズムではなかった。それゆえ、清（しん）王朝を倒すために、日本を含む外国の支援を堂々と求め、領土租借まで約束したことは、孫文の「民族主義」には矛盾しない。

ナショナリズムの基本要件は、《nation》における《people》として、個人のアイデンティティが確立されることである。《people》は根本的に同質であって、地位や階級等で皮相的に分かれているに過ぎない。だからこそ《nation》は、所属員のアイデンティティと忠誠の対象となる。その意味での《nation》を構築し、中国統一を目指した蔣介石の試みは失敗したのである。

一方、毛沢東は自らのアイデンティティを、《nation》を超える、より高い道徳的権威、すなわち国際共産主義（international communism）に見出した。中国文化特有の普遍主義的思考から見れば、そもそも国際共産主義に対して、中国では欧米におけるほど違和感や拒絶感はない。

毛によって単純化されたマルクス・レーニン主義は闘争の哲学であり、そのプロレタリア国際主義の根幹にあるのは「階級闘争」である。毛は1949年に中華人民共和国を成立させた後も、破滅的な文化大革命に至る階級闘争を、死ぬまで継続した。「マルクス主義が共産主義者の宗教ならば、階級闘争理論は毛沢東宗派の教義であった」。

《nation》概念を欠く中国の政治文化において、国民（nation）を代表する国家（state）という国民国家的発想は存在しない。中国語の「国家」は「天下」と同義語、政治支配が及ぶ地理的範囲を意味するのであって、中国の政治文化はもともと、多国的

(multinational) あるいは国際的 (international) なのである。

佐々木更三の謝罪発言に対する毛沢東の返答

いったい中国における国家の正統性は何に基づくのか。それは究極の道徳的権威、すなわち「天命」である。高邁な天命と赤裸々な軍事的征服が、表裏一体の関係にあることはいうまでもない。近代中国で最も急進的な政治組織である中国共産党も、こうした政治文化の枠内にある。

ション教授によれば、毛沢東ら共産党幹部にとって、絶対的真理である共産主義思想に基づく、「無産階級意識形態」(proletarian ideology) という天命を授かったのが共産党ということになる。したがって、天命そのものといってもよい共産党は、国家を超えた存在となる。個人のアイデンティティの対象は、国民国家 (nation state) ではなく、共産党つまり党国家 (party state) でなければならない。現行憲法にも「共産党は中国各民族人民を指導する (共産党領導中国各族人民)」とあるように、党に従うものだけが人民 (people) なのだ。

人類全体に共通する天命に基づき、政治支配を確立するうえで、毛らが具体的に同一化の対象としたのは、中国という《nation》ではなく、国際共産主義の本拠、スターリン率いるソ連共産党であった。一方、中国共産党にとって、主敵は、内には蔣介石の国民政府、外には、その支援者かつ国際共産主義の不倶戴天の敵、国際資本主義の牙城たる米国であった。

中国共産党が天命を実現するうえで、日本が蔣介石と連携することも、米国の支援を受けた蔣が日本を簡単に打ち負かすことも望ましくない。毛沢東そしてスターリンにとってベストのシナリオは、支那事変の泥沼化であり、現実はそのように推移した。「毛や彼の同僚たちは、国民軍が日本軍に撃滅されればされるほど良いと望むことは、道徳的に是認されると考えていた」。

毛沢東は、第一次大戦中に敵国ドイツ参謀本部の支援を受けて、ロシア革命を成就したレーニンと似た存在である。「日中全面戦争の最中に、毛の考えが明らかになっていたら、その適否はともかく、多くの同胞に『中国人売国奴』、『ソ連の走狗』とみなされたであろう」。いずれにせよ、レーニンと同じく、毛も目的を達成した。

大躍進政策で数千万人を餓死させた後、文化大革命で中国社会をさらなる大混乱に陥れる少し前の1964年7月10日、毛は、日本社会党訪中代表団の佐々木更三の侵略謝罪発言に、こう返答した（『毛澤東思想万歳（下）』東京大学近代中国史研究会訳）。

> 何も申し訳なく思うことはありません。日本軍国主義は中国に大きな利益をもたらし、中国人民に権力を奪取させてくれました。みなさんの皇軍なしには、われわれが権力を奪取することは不可能だったのです（没有你們的皇軍、我們不可能奪取政権）。この点で、私とみなさんは、意見を異にしており、われわれ両者の間には矛盾がありますね（這一点、我和你們有不同的意見、我你們両個人有矛盾）。

毛による日本軍への「感謝」は、日本人に対するリップサービスというより、親中派で知られた佐々木ら日本の「同志」を前にした本音であろう。1944年12月、「抗日戦争」の最中にも、毛は「延安（えんあん）［共産党］の本当の標的は、重慶（じゅうけい）［国民党］政権のファシスト分子だ」と断言しているのである。

一方、蔣介石も、日本が表面的な皮膚の病に過ぎないのに対し、共産党は死命を制する心臓の病であるとみなしていた。だからこそ、毛沢東が何より恐れたのが、日本と蔣の提携だったのだ。

泥沼の支那事変に引っ張り込まれた日本を評して、スターリンは1938年2月、「歴史というのはふざけるのが好きだ。ときには歴史の進行を追い立てる鞭として、間抜けを選ぶ」と語った（第5章参照）。まさに至言である。

第一次国共合作が1927年に崩壊して以降、中国で繰り広げられたのは国民党と共産党の天命をめぐる争いであり、日本は毛沢東とスターリンに利用された「間抜け」な脇役に過ぎなかった。

「兄」スターリンと「弟」毛沢東

毛沢東とスターリンの関係については、スターリンの死後、毛が自らの正しい政策に無理解なスターリンに抗して、中国革命を成し遂げたという主張を繰り広げ、それが通説的地位を獲得している。

ところが、ション教授は、主として1990年代に公開された中国共産党関連文書に基づいて、スターリンが生きている間、世界共産革命を目指す同志として、両者の関係が極めて緊密であったことを明らかにした。ただし、二人の間に見解の相違がある場合、スターリンの意見が優先され、毛は従うのが常であった。いわば「兄」スターリンに対して、「弟」毛という関係である。

日本ではロマンチックに描写されることの多い「長征」、すなわち国民党軍の掃討作戦で、壊滅の危機にあった中国共産党・軍の瑞金(ずいきん)から延安への逃避行も、ソ連とその「傀儡」国家モンゴルになるべく近づきたいという動機が背後にあった。長征途上、1935年9月に俄界(がかい)で開かれた会議で毛沢東はこう言っている。

我々は独立した共産党ではない。我々は共産主義インターナショナル［コミンテルン］の一員である。我が中国革命は、世界革命の一環なのだ。我々はソ連との国境に向けて進軍し、拠点を築き、それから東へ向かおう。

ション教授によれば、「これまで欧米で支配的だった、毛・スターリン間の『苦い思い出と裏切り』という通説とは全く逆に、最近の証拠は1934―35年の段階で、毛がスターリンに選ばれた男であって、1949年に至るまでずっと、毛はモスクワの指示にまるで帰依するかのように、逐一従っていたことを明らかにした」。

長年秘密にされていたある事実が、このション教授の見方を裏付ける。長征中の1935年1月の遵義会議以降、中国共産党のリーダーとして主導権を握った毛沢東が、最優先事項のひとつとしたのは、延安とモスクワのコミンテルン本部間の無線通信システムの整備であった。

トップシークレットであるモスクワとの通信を管轄する党機関は、「農委」（農業委員会）と名付けられ、毛の個人的管理下に置かれた。モスクワからの電信は、通常の場合は毛の通訳師哲によって、極秘指定の場合はソ連留学組の最高幹部任弼時によって翻訳された後、例外なく毛に直接届けられた。回覧はされず、毛が重要と判断した場合、中央政治局の会議で毛自身が口頭で、その内容に言及した。電信は毛の自宅に保管され、毛以外誰もアクセスすることはできなかった。

コミンテルン、あるいはスターリンを意味する「遠方」からの指示を独占したことは、毛沢東の中国共産党内における権威の源泉となった。特に1943年のコミンテルン解散後、毛は直接「フィリポフ」（スターリンのコードネーム、Филиппов）と通信するという、他国の共産党指導者に例を見ない、特権的地位をスターリンによって与えられた。

毛沢東とスターリンの関係が友好的なものだったとするション教授の見方に対し、両者の力関係から、毛が嫌々ながらスターリンに従っていたに過ぎないとする見方もある。ただし、二人が頻繁に連絡を取り合い、最終意思決定はスターリンが行なっていたという点に、争いはない。

中国革命が老獪(ろうかい)な「兄」スターリンと血気盛んな「弟」毛の合作であり、二人が名コンビであったことは間違いない。朝鮮戦争中の1953年にスターリンが死んだ後、箍(たが)が外れた毛は、大躍進政策によって中国をどん底に陥れる。スターリンの早過ぎる死の最大の被害者は、中国民衆だったのかもしれない。

第12章　中国共産党の「救世主」だった日本

君為其易、我任其難
汪兆銘

なぜ日本が「救世主」なのか

前章でも述べたとおり、20世紀前半の中国大陸の歴史は、毛沢東（もうたくとう）の共産党と蔣介石（しょうかいせき）の国民党による、古来繰り返されてきた天下統一の争いであった。

初期の劣勢にもかかわらず、最終的に勝者となったのは、スターリンの強力な支援を得た毛沢東であった。「無産階級意識形態」に基づく世界革命という天命を授かった「赤い皇帝」毛は、米国の支援を受けた蔣を台湾に追いやり、1949年、大陸全土を支配する中華人民共和国建国を成し遂げる。

この今日まで続く中国共産党王朝樹立の過程で、決定的ともいえる役割を果たしたのが、前章でも述べたとおり、世界革命の総元締であるスターリンであった。世界共産革命の一環としての中国革命は、「兄」スターリンと「弟」毛沢東の合作であったのだ。

一方、当時の日本は米英ソとは比較するのもおこがましい、せいぜい二流の地域大国であった。にもかかわらず、戦前の万邦無比（ばんぽうむひ）の皇国史観を裏返しにした戦後皇国史観ともいうべき東京裁判史観において、あたかも20世紀前半の世界史を左右する悪の主役であるかのように描かれる日本は、実際にはどのような役割を果たしたのだろうか。

スターリンの卓抜な表現を借りれば、日本は「歴史の進行を追い立てる鞭として選ばれた間抜け」な脇役に過ぎない。ただし、毛沢東の天下統一は、いくらスターリンの絶大な支援があったとはいえ、日本の「協力」なしには決して完遂できなかったことも確かである。

中国共産党を襲った幾度かの危機において、収拾がつかなくなった小説やドラマの最後に唐突に現われ、無理やり結末をつける「機械仕掛けの神」(deus ex machina) のごとく、日本は常に共産党の「救世主」として登場する。

ここでは、前述のション教授やマオチュン・ユ米海軍兵学校教授（『中国におけるＯＳ

S』、『竜の戦争』）ら、主に中国出身の米国在住歴史学者の研究に拠りながら、毛沢東、蔣介石に汪兆銘を加えた、日米ソの三人の「傀儡」による現代版三国志を素描する。読者がそれぞれの世界観に基づいて歴史認識を深める一助となるべく、これまであまり知られていなかった事実を、時系列に沿って紹介したい。

中国共産党にとって、日本が結果的に「救世主」あるいは「間抜け」の役割を演じただけなのか、それとも背景には日本の政府や軍に入り込んだ、スターリンを頂点とする国際共産主義勢力のエージェントたちの「活躍」があったのかについては、ここではあえて言及しない。

しかし、日本はともかく、米国の対中政策の背後に、スターリンの工作員たちの暗躍があったことは、ヴェノナ文書等で明らかになっている（次章参照）。1920年代から30年代にかけて、知識人の間でマルクス主義が大流行した日本の政府・軍内部で、米国どころではないスケールの共産主義工作活動が行なわれていたとしても不思議ではないだろう。

青息吐息の共産党

1927年4月の蔣介石による上海(シャンハイ)クーデター(四・一二事件)により、それまで国民党内に浸透することを通じて、勢力伸長著しかった共産党は、大打撃を受ける。当初は国民党内の容共派として、蔣と対立した汪兆銘も共産党と袂(たもと)を分かち、第一次国共合作は終わりを告げた。

その後、蔣介石は拠点である華南から全土統一を目指し、北伐を進める。そして、1928年6月に爆死した張作霖(ちょうさくりん)の後を継いだ息子の張学良(がくりょう)が、12月に易幟(えきし)、すなわち北洋政府が使用していた五色旗を降ろし、国民政府の青天白日旗を掲げることで、蔣に恭順の意を示したため、北伐は完成した。

しかし、張学良の支配する満洲は、名のみ国民政府に所属するだけで、実質は独立国家のままであった。満洲が中国本土(支那本部)には属さないという、当時の日本の主張は、必ずしも独りよがりのものとはいえない。国際的にも、満洲はチベットやモンゴルなどとともに、《China Proper》に属さない地域と理解されていた。さらに、日露戦争以降、当地が日本の勢力圏（sphere of influence）であることは国際的了解であり、各種の特殊権益が条約によって確保されていた。

１９３１年9月に起こった満洲事変後、国際連盟によって派遣されたリットン調査団の報告書にも、「満洲における日本の権益は無視できない事実であって」、「満洲における政府は（中略）広範な範囲の自治を確保するように改められるべき」とある。

ちなみに、満洲事変をめぐり、とりわけ日本を強く批判した米国は、当時、自国勢力圏である中南米への軍事介入と傀儡政権樹立を繰り返していた。なんと今でもキューバに、無期限の租借地（米軍基地があるグアンタナモ）を維持したままなのだ。

満洲事変勃発から間もない１９３２年1月、中国側の挑発に応じるかたちで、大軍が派遣された第一次上海事変の際、日本軍は停戦交渉が5月に成立するや即座に撤収した。中国本土の上海は勢力圏外であり、現地邦人を保護するという目的を果たした以上、大軍を駐留させておくことは望ましくないというのが、陸軍も含めた日本の国家意思であった。

満洲事変勃発以来の日本と国民政府の軍事的対立自体、１９３３年5月の塘沽（タンクー）停戦協定で、一旦終止符が打たれる。ション教授が指摘しているように、蔣介石は、満洲分離独立を事実上黙認することで、表面的な皮膚の病に過ぎない日本と連携して、死命を制する心臓の病である共産党と対峙する方向で、国論を統一しようとしていた。

満洲事変、あるいは満洲国建国をめぐっては、相反するいろいろな見方がありえる。しかしながら、満洲事変によって、満洲が実質のみならず形式的にも国民政府から切り離されたことと、その後の中国本土における日中の戦いは、切り離して考えるべきである。それは蒋介石の認識でもあった。満洲事変から１９４５年８月の敗戦までを一直線の必然の道と見る、いわゆる十五年戦争史観は、反日イデオロギーとしてはともかく、当時の実相を理解するうえで大きな障害となる。

さて、上海クーデターで一挙に勢力を削がれた中国共産党にとって、１９３７年の支那事変勃発までは、苦難の時代が続く。存亡の危機にあったとすらいえる。

１９２７年の第一次国共合作崩壊後、スターリン指示の下、中国共産党は武装闘争路線を採用、コミンテルンは湖南での秋収暴動（１９２７年秋の収穫期に起こった農民の暴動）指揮を毛沢東に命じた。ただし、こうした武装闘争は、結果的に失敗続きで、党勢拡大にはつながらなかった。

一方、国共合作崩壊で、表の組織は打撃を受けたものの、共産党のスパイは国民党中枢にまで浸透し、活動を続けていた。国民党の動静は共産党に筒抜けであった。共産党の諜報活動を一手に握っていたのは、「スパイマスター」周恩来である。

　ところが、満洲事変直前の1931年4月、共産党は裏の組織においても、大きなダメージを被る。周の片腕であった顧順章が国民党に寝返り、共産党のスパイ組織が一網打尽にされたのだ。毛沢東と違って穏和な指導者という虚像が今も残る周恩来は、報復として顧の家族を皆殺しにしたうえで、上海フランス租界の公園に埋めることを命じる。「イスラム国」（IS）顔負けの残酷さである。顧の寝返りにより、共産党は組織の全面的見直しを余儀なくされ、本部は上海から、毛沢東が立ち上げた中華ソビエト共和国の本拠地である瑞金に移された。

　スパイ組織壊滅直後に起きた満洲事変のおかげで、存亡の危機にあった中国共産党は、一息つくことができた。中国国内で反日気運が高まり、蔣介石は「剿共」（反共）より「抗日」（反日）を優先せざるをえない状況に追い込まれたのである。

　とはいえ、第一次上海事変における日本軍即時撤退や塘沽停戦協定締結で、日本と蔣介石の間には妥協が成立し、連携して共産党と対峙する機運が生じる。

　海軍は、国民政府の招聘により、中国海軍近代化のため、1934年に寺岡謹平大佐（後に中将）を国民政府顧問として派遣する。当初2年の任期が中国側の強い要請で1年延長され、１９３７年末まで滞在することとなった。大げさにいえば、中国海軍の礎（いしずえ）は日本が作ったのである。それも「十五年戦争」の真っただ中に！

満洲国と接する華北（北支）で謀略工作を続けていた陸軍ですら、１９３５年９月発行の『転換期の国際情勢と我が日本』で、「未だ誤られたる国民党部の欧米依存、排日政策より完全に脱却するに至らない」ものの、「支那政権は昨今若干覚醒の機運に在る」としていた。

さらに、１９３６年、二・二六事件の直前に発行された陸軍省『昭和十一年版帝国及列国の陸軍』にはこうある。

> 満洲事変勃発以来の二、三年間は、「日支間に紛争に依る中央軍［国民党軍］の隙に乗じて長江沿岸の要点を悉（ことごと）く占有すべし」との第三インター［コミンテルン］の積極政策指令を忠実に実行して到る処中央軍を悩まし、其勢は真に侮り難きものがあつた。此に於て、蔣介石は抗日よりも先づ剿共なる標語の下に共産全軍の中心勢力たる江西匪軍の討伐に全力を注ぐに至つた。

日本との関係が安定したことを背景に、蔣介石は主敵とみなしていた共産党を追い詰める。その結果、共産党は、瑞金から最終的に延安に至る、「長征」という名の逃避行を強いられた。前章で指摘したように、長征途上に主導権を握った毛沢東は、「我が中国革命は、世界革命の一環なのだ。我々はソ連との国境に向けて進軍し、拠点を築き、それから東へ向かおう」としていた。

一方、日本陸軍は、「新疆又は外蒙を経て直接蘇連邦と握手せんとする共産軍の意図は逐次実現の緒に就きつゝあるを看取し得ると共に、共匪の北漸乃至東漸は延いて北支及満洲に波及する所尠からざるに鑑み我が帝国としても特に関心すべき事項」（陸軍省前掲書）であると、事態を正確に認識していた。

西安事件から支那事変へ

塘沽停戦協定以降、日本と蔣介石の連携が軌道に乗りかけたにもかかわらず、現地の陸軍主導で行なわれた華北での工作活動は、中国国内の反日感情を醸成し、蔣の「抗日よりも先づ剿共」という方針にブレーキをかける。その恩恵を受けたのは、蔣の攻勢によって青息吐息の状態にあった共産党であった。

同じ時期、スターリンの対外政策は大転換を遂げる。共産主義者以外すべてを敵視するそれまでの方針を捨て、資本主義国つまりソ連以外の国の自由主義者・社会民主主義者と共闘して、「ファシズム」勢力と対峙する、いわゆる人民戦線方式へ切り替えたのだ。スターリンのいう「ファシズム」勢力とは、要するに日本とドイツを指す。ソ連は、それまで英仏帝国主義の手先として非難していた国際連盟にも、日独脱退と入れ替わるかたちで、１９３４年に加盟し、常任理事国となる。

欧州では英仏独の、極東では蔣介石と日本の反共連合成立を阻止し、逆に英仏対独、日本対蔣の対立を激化させるというのが、スターリンの目論見であった。ただし、日本との対抗上、ソ連との連携を模索しつつも、主敵である中国共産党を背後で操るスターリンに対する蔣の不信は大きかった。

一方、ソ連の軍事支援をあてに、毛沢東が１９３６年10月、寧夏（ねいか）で大規模な軍事攻勢に出たところ、国民党軍に返り討ちにあう。窮状を訴える毛に対し、ソ連は直ちに、孫文の未亡人かつ蔣介石夫人宋美齢（そうびれい）の姉である、上海在住の宋慶齢（けいれい）のルートなどを通じて、資金援助を行なう。ション教授も指摘するように、「スターリンの毛への寛大な支援によって、中国共産党は壊滅から免れた」。日本では美化されることの多い宋慶齢は、スターリンに盲従するソ連エージェントであった（佐々木太郎『革命のインテリジェンス』）。

とはいえ、共産党の先行きは決して明るくなかった。そこに、近代中国の歴史を画する西安事件が12月に起きる。張学良が西安を訪れていた蔣介石を監禁したのだ。実は事件の数カ月前から、ソ連の軍事支援を条件に、共産党は張学良に接近し、両者は事実上の同盟関係にあった。張は蔣に表向き帰順したものの、その野心を捨ててはいなかった。寧夏での共産軍敗北により、ソ連の軍事支援が実現せず、逆に蔣介石から共産軍との戦闘を強いられたため、張は窮鼠猫を嚙む行動に出る。

当初、毛沢東はこれを機に、蔣介石を殺害したうえで、張学良軍とともに一気に攻勢に出ようとする。しかし、当時の国共両軍の力関係からして、全面戦争となれば共産軍に勝ち目はなかった。さらに、国民政府は事件の背後にソ連の策謀があることを知り、スターリンが最も恐れる、国民政府と日本の連携をちらつかせて、ソ連政府に圧力をかける。スターリンは毛沢東に「平和的解決」を指示、蔣は解放される。

この後、国民党は「抗日よりも先づ剿共」という方針から転換し、抗日を前面に押し出す。共産党もスターリンの指示に従い、国民政府を唯一の正統政府と認め、武装蜂起と土地接収の中止を宣言する。第二次国共合作の始まりである。

もちろん、スターリンも毛沢東も、中国革命を諦めたわけではない。表向き抗日統一戦線を掲げながら、来るべき国民党との対決に備え、独自の軍事力強化と支配地域拡大に余念がなかった。

共産党の真意は、蔣介石も先刻承知であった。共産軍の事実上の独立を求める毛沢東の要求を、当初、蔣は拒絶し、交渉は暗礁に乗り上げる。そこに再び「神風」が吹く。1937年7月の盧溝橋事件に端を発した日中武力衝突が、あれよあれよという間に全面戦争に発展。背に腹は代えられない蔣は、共産軍の独自性維持という毛の主張を受け入れざるをえず、第二次国共合作による抗日民族統一戦線が確立した。

国民政府は、8月の第二次上海事変の直後に、ソ連と不可侵条約を締結する。支那事変初期、国民政府に対する最大援助国はソ連であった。スターリンは蔣を支援することで、ドイツと並んで主敵のひとつである「ファシスト」日本を、泥沼の戦いに引きずり込んだのである（第5章参照）。

1942年まで蔣の最高軍事顧問として中国に派遣されたヴァシリー・チュイコフ中将（後に元帥）に、スターリン自ら、本当は共産党を全面支援したいものの、党がまだ弱体な現状では、次善の策として国民政府を支援せざるをえないとして、こう語っている（チュイコフ『中国でのミッション』）。

> 貴官の任務は、同志チュイコフ、中国での我が陣営の任務は、日本の侵略者の手を固く縛り付ける（крепко связать руки японскому агрессору）ことだ。日本の侵略者の手を固く縛り付けた場合のみ、ドイツの侵略者が我が国を攻撃した際、我々は二正面戦争を避けることができる。

そもそも支那事変は、計画された侵略などではなく、日本にとって青天の霹靂（へきれき）であった。前述の中国海軍顧問の寺岡大佐は、当初、よくある現地部隊の小競り合いという理解で、「敵」海軍の教育訓練を継続していた。しかし、「中国側が『あなたの生命を保障することがむずかしくなった』というので、休暇をとるという形式で日本に帰った」（中村菊男『昭和海軍秘史』）。その際、蔣介石は寺岡に青島（チンタオ）行きの特別列車を手配し、日本に無事帰国させる。

当時の陸軍基本方針は、対ソ戦に備えた国防力充実であり、統帥権を握るはずの参謀本部のトップ二人（参謀総長は皇族就任で名誉職化）、多田駿参謀次長と石原莞爾第一（作戦）部長は事変拡大に強硬に反対した。にもかかわらず、陸軍内拡大派のみならず、強硬な新聞世論に後押しされた近衛文麿首相が、政治主導で統帥権を「干犯」した結果、全面戦争となったのだ。

近衛首相の決定的失策

一旦は「国民政府を対手とせず」と大見得を切ったものの、近衛首相は南京陥落後、重慶に移転した国民政府との和解を模索する。和平工作が行なわれるなか、汪兆銘が1938年12月に重慶を脱出、日本は、汪首班の新政府樹立工作と蔣との直接和平を同時に進めた。

一方、支那事変初期の激しい戦闘が一段落すると、再び、国民政府と共産党の対立が先鋭化する。そこに極東のみならず世界を揺るがす事件が起こった。1939年8月23日、スターリンが、それまで不倶戴天の敵としてきたヒトラーと独ソ不可侵条約を結んだのだ。

これを機に、「民主主義対ファシズム」という構図による人民戦線路線は放棄され、かつての反ブルジョアジー・反資本主義路線が復活する。コミンテルンは新方針に従って、中国共産党に「帝国主義勢力」つまり国民党との闘争を強化するよう指令する。

条約締結のほぼ一週間後の9月1日、ドイツがポーランドに侵攻すると、英仏がドイツに宣戦布告したのに対し、スターリンはヒトラーとの密約に従って、9月17日にポーランドに侵攻、独ソは9月28日の両国間条約で、ポーランドを二分した。

世界中で、共産主義者さえ多くが困惑するなか、真っ先に独ソ不可侵条約に熱烈な支持を表明したうちのひとりが毛沢東であった。条約締結直後に発行されたコミンテルン機関誌『共産主義インターナショナル』（1939年8・9月合併号）に掲載された、延安での9月1日のインタビューで、毛は、条約は「ソ連共産党及び政府が断固として行なった、社会主義国家［ソ連］の強化と平和政策の結果」であり、「チェンバレンやダラディエ［英仏首相］らの陰謀、ソ独間戦争を挑発する反動ブルジョアジーの陰謀（заговор）を打ち砕いた」と述べている。

それに対し、蔣介石は、当時頼みの綱であったソ連が、日本の同盟国であるドイツと事実上の同盟関係に入ったことに衝撃を受ける。蔣は国際関係において苦しい立場に追い込まれた。支那事変勃発当初まで国民政府への軍事支援を惜しまなかったドイツは、ヒトラーの意向で1938年以降、日本寄りの姿勢を鮮明にし、中独関係は冷却化していた。米国では国民の間で孤立主義的傾向が強固なため、ルーズベルト政権からの援助に大きな期待はできない状況にあった。

さらに、蔣とスターリンの関係を悪化させたのが、1939年11月に始まったソ連の対フィンランド戦争である。フィンランド侵略を理由に、12月に国際連盟理事会がソ連除名を決議した際、理事国が一国でも反対すると否決となるので、スターリンは理事国であった国民政府に反対するよう要求する。ところが、対日戦争の犠牲者として、国際的同情を集めていた蔣介石としては、代表の顧維鈞に、決議とは無関係の日本を「仮借なき侵略者(ruthless invader)」として非難させつつ、除名決議棄権を指示するのが精いっぱいであった。スターリンは激怒し、両国関係は冷却化、最終的に1941年4月の日ソ中立条約で、ソ連の蔣政権への支援は終わりを告げる。

日本にとって、国民政府とソ連の関係が悪化し、国共対立が激化していた1939年後半から、ルーズベルトの対日姿勢強硬化と相まって、米国の国民政府支援が強化される前の1941年初頭までの間が、蔣介石と妥協する千載一遇のチャンスであった。陸軍中枢も戦争長期化による国力疲弊を憂慮し、1940年初めには、一部兵力の自主的撤兵を検討していた。

実際、毛沢東はこの時期、蔣が日本と妥協し、再度「剿共」に専念することを何よりも恐れていたのだ。にもかかわらず、支那事変拡大の時と同じく、国民政府との和解の道を閉ざしたのは、軍部というより近衛首相であった。

日本は、重慶の蔣介石政権の否認を意味する汪兆銘首班の南京国民政府樹立に動き、1940年7月に再度首班となった近衛は、11月の日華基本条約で、南京政府を正式承認する。その後も、日本には蔣介石との妥協を模索する動きがあったものの、汪政権承認は決定的障害となった。

蔣介石本人も後年、「近衛は、無知無能にも、汪政権を承認したことで、中日両国間に解くことのできない仇敵関係をつくりだした。これは、敵国のためにもまことに残念なことであるばかりでなく、さらに東亜のためにも危機感を深めるものだ」と、当時の日記を引用し、「日中両国をつなぐ糸は完全に断ち切られた」と述べている（『蔣介石秘録』）。

汪兆銘・南京政府の闇

1941年12月、日本軍が真珠湾を攻撃したことで、米国が日本と妥協するのではないかというスターリン、毛沢東、そして蔣介石の懸念は、完全に解消された。中国大陸の戦いも、「事変」から宣戦布告に基づく正式の戦争となった。とはいえ、大東亜戦争の主戦場は太平洋と南方（東南アジア）であり、中国戦線は比較的平穏であった。

国共両軍とも、米国の参戦で対日戦争勝利を確信し、来るべき内戦に備えて勢力を温存することを優先していた。とりわけ華北が主力の共産軍は、散発的ゲリラ戦を行なうだけで、日本軍との本格的戦闘を回避しつづけた。

現地に潜入した米軍特殊部隊の報告には、華北では両者がわずか半マイル（800メートル）離れたところで平和裏に共存し、ほとんど戦闘らしい戦闘がなかったと記されている。

日本軍との「共存共栄」のお陰で、支那事変が始まった1937年の時点では数万人だった共産軍は、1945年8月の日本軍降伏時には100万人を超え、共産党支配下の人口は150万人から1億人を超えるまでになっていた。

共産軍がほとんど日本軍と戦闘をせず、来るべき国共内戦に備えていたというのは、今や広く知られた事実である。しかし、共産党が名実ともに国民政府を脅かす存在になるうえで、日本の「傀儡」汪兆銘南京政府が果たした大きな役割については、あまり知られていない。

中国共産党の工作は、南京政府及び軍中枢まで浸透しており、汪政権の動向は延安の共産党に逐一報告されていた。共産党情報機関最高幹部である潘漢年（はんかんねん）のスパイ網は、南京の本部にまで入り込み、汪政権軍首脳郝鵬挙（かくほうきょ）指揮下の二人の師団長を含む、軍幹部の多数が共産党の秘密工作員であった。

なお、汪政権との秘密交渉を担当した潘は、建国後に汪の手先として逮捕投獄され、死後に名誉回復された。郝は日本の敗戦後、共産軍に参加した後、国民政府に寝返り、最後は共産軍に捕えられ射殺された。知り過ぎた男たちの悲劇である。

さらに、支那事変以降の共産軍の驚くべき成長には、隠された要因も存在した。日本製武器の「供与」である。ユ教授によれば、共産軍による武器調達の「第一の供給源（the first source）」は汪政権軍であり、しかも、「日本の占領当局の黙認（acquiescence）」の下で行なわれていたのだ。武器には種類ごとに、ライフル20ドル、軽機関銃80ドル、無線通信機200ドル、大砲1000ドル等々、「定価」が設定されていた。

共産党の大量武器購入を支えていたのが、その潤沢な資金であった。たとえば、日本に占領されるまでの2年半で、香港のフロント組織が、世界中から集めて延安に送金した金額は2000万ドル、日米開戦前の為替レートで8000万円、現在の貨幣価値に換算すれば2000億円弱である。貧しい農村の兵士というイメージとは異なり、共産軍主力の八路軍や新四軍は、兵士ひとり当たりで見れば、国民党軍より資金的に恵まれていた。ユ教授が指摘するように、このような組織的かつ大規模な武器購入は、日本軍の「黙認」あるいは「同意」なしには不可能である。

それにしても、南京政府中枢と共産党の「蜜月」を、汪兆銘はどのような思いで見ていたのだろうか。両者のこれほどまでの密接な協力関係について、全く知らなかったとは考えられない。かつての同志蒋介石の国民党への絶望から、毛沢東の共産党に中国の将来を賭けたのであろうか。

さらに共産党の勢力伸長に大きく貢献したのが、1944年に行なわれた日本軍の大攻勢、大陸打通（一号）作戦である。太平洋での状況が悪化するなか、陸軍は日米開戦後、中国における最大の作戦を敢行し、華中・華南の国民党軍に大打撃を与えた。戦術的には「大勝利」であったものの、戦略的には無意味で不可解な作戦であった。一方、共産党にとってはまさに棚から牡丹餅(ぼたもち)、日本軍の手で国民党軍が追い払われた後、共産党は戦わずして、国民党に代わって地域全体に浸透し、勢力を拡大する。

当時の日本政府・陸軍が意図していたか否かはともかく、日本の直接的、あるいは汪政権を通じた間接的支援なしに、共産党が中国大陸で覇権を握ることはできなかった。そのことを素直に認め公言していた毛沢東のひそみに倣(なら)い、我が国政府も、今後、中華人民共和国建国に対する日本の多大なる貢献に、事あるごとに言及するというのはどうだろう。

ただし、中国共産党を助けたのは、日本だけではなかった。米英もまた、国民政府とともに日本と戦いつつ、密かに共産党を「支援」していたのである。

第13章　中国共産党政権の誕生に果たした米国の役割

米国の敵であることは危険だろう
しかし、友になることは致命的だ
ヘンリー・キッシンジャー

策士、策に溺れた英国

前章で述べたとおり、毛沢東率いる中国共産党が大陸制覇を成し遂げ、1949年10月に、今に続く中華人民共和国を樹立するうえで、日本とその「傀儡」汪兆銘政権の「協力」が大きく貢献した。

しかし、スターリンと毛沢東の共同事業、すなわち中国共産党による天下統一を助けたのは、日本だけではない。蔣介石政権とともに日本と戦っていた米英も、共産党を少なからず支援していた。結果的に、米英と組んだことが蔣の命取りとなったともいえる。

さて、中国主導のＡＩＩＢ（アジアインフラ投資銀行）をめぐり、主要な先進国のなかで、日米だけが参加を見送っていることについて、我が国では批判する向きが多い。その是非はともかく、他先進国が雪崩を打ってＡＩＩＢ参加を決める契機となったのが、英国の参加表明であった。欧州大陸諸国と距離を置き、「特別な関係」にある米国との連携を重視するとされる英国の決断によって、日米は梯子を外されるかたちとなった。

とはいえ、中国共産党が覇権を確立する前から、英国はその赤裸々な帝国主義的見地から、米国とは大きく異なる対中政策を追求していた。

後述するように、ルーズベルト大統領の蔣介石全面支持方針にもかかわらず、米国は政権中枢に食い込んだスターリンの工作員の策謀に加え、政府・軍内部の縄張り争いもあって、国民政府に有効な支援を行なうことができなかった。それに対し、チャーチル率いる英国は、国策として、国民政府との協力をサボタージュし、中国共産党を支援していた。これは英国情報機関の上層部にまで、スターリンの工作員が浸透していたこととは関係ない。

英国の対アジア政策の大前提は、植民地支配の維持継続であり、中国も分裂したまま、適度にもめ続けることが望ましい。英国にとって、高揚するナショナリズムを背景に、蔣介石の下で統一中国が誕生することは、弱体かつ分裂した中国を前提とした利権維持を困難にするだけでなく、アジアその他の植民地支配を困難にする。蔣も英国の意図はお見通しであり、国民政府内では反英感情が蔓延していた。

英国は同盟国としての義務であるはずの経済軍事支援を、さまざまな口実で忌避した。前述のユ教授によれば、英国は中国共産党と手を握り、国民党支配地域で謀略工作まで行なっていた。国民党軍の実力者で広西省（現在の広西チワン族自治区）を拠点とする李済深に対しては、蔣介石への反乱までそそのかしていたのである。共産党側でこの工作に関与していたうちの一人が、かつてゾルゲ・スパイ網に所属していた陳翰笙。なお、李は日本敗戦後に公然と共産党に寝返り、新政権副主席の地位を与えられた。

日中戦争時から中国共産党と密接な関係を築いてきた――と思っていた――英国は、共産党政権成立からわずか3カ月後の１９５０年1月、東欧のソ連衛星国を除けば、異例の早さで新政権を承認し、対中利権確保を狙う。しかし、毛沢東は「取引」に応じず、経済的鎖国政策を採用、米国を出し抜いて、巨大な新中国との取引を独占しようとした英国の目論見は、あてが外れた。結局、黄昏の大英帝国は、毛に利用されただけで終わった。

ＡＩＩＢが今後どうなるか、予断を許さない。ここは毛沢東を尊敬しているとされる習近平主席が言うように、「歴史を鑑として」、日本はあえてバスに乗り遅れるのも一案であろう。

米政権内で暗躍するソ連スパイ

米軍トップとしてルーズベルト大統領を支えたウィリアム・リーヒ元帥は、戦後こう述懐している（ミルトン・マイルズ『別種の戦争』）。

> いったい中国で何が起こったのか私には理解できなかった。ルーズベルト大統領がカイロ会談で、個人としても国家としても、蔣介石に全面支援を確約したことを私は知っている。しかも、大統領は本心からそう言ったのだ。（中略）ところが、大統領とその計画の間に、何かがあるいは誰かが立ちはだかっていた。（中略）何が起こっているのか、なぜ我々は蔣を助けないのか、大統領は明らかにしようとしていた。しかし、その死後、この問題は立ち消えとなってしまった。

1941年12月の日米開戦以降、連合国の一員となった国民政府は、米国の経済・軍事支援に大きな期待をかける。開戦前の春から、すでに米国の対中経済援助は未曾有の規模となっていた。

ところが、蔣介石が対日戦、及び中国統一を進めるうえで、米国の支援は有効に機能しなかった。もちろん、これまでしばしば指摘されてきたように、国民政府の非効率や腐敗もその一因であることは否定できない。しかし、リーヒ元帥の言葉が端的に示しているように、米国が責めを負うべき部分も大きいのだ。その根底には、政権内部の対中政策をめぐる対立と、それに乗じたソ連スパイによる妨害工作があった。

第7・8章で述べたとおり、冷戦終結後、ヴェノナ文書をはじめ各国で秘密文書の公開が進み、ルーズベルト政権中枢にスターリンの工作員が多数浸透していたことが、疑いの余地なく示された。スパイたちは機密情報をソ連に伝えるだけでなく、米国の対外政策にも影響を及ぼしていた。当然、スターリンに好都合なように。

その代表例が、第8章で詳述した、「雪作戦」で知られるホワイトである。モーゲンソー財務長官はルーズベルトの信任が厚く、大統領とは距離があったコーデル・ハル国務長官を差し置いて、対外政策に深く関与していた。そのモーゲンソー長官が自らのブレーンとして重用したのが、ソ連エージェントのホワイトであった。だからこそ、国務省ではなく財務省高官のホワイトが、日米開戦の契機となった「ハル・ノート」に関与できたわけである。

ホワイトのモーゲンソーへの影響力は絶大であり、スターリンと蔣介石の関係が冷却化した1940年以降、それまで国民政府支援者として知られていたモーゲンソーは、ホワイトの意見を入れ、支援に否定的な立場をとるようになる。

ホワイトは、前述の米国在住の秘密共産党員冀朝鼎（きちょうてい）を国民政府の経済顧問に推薦し、内部から財政を混乱させたうえ、自らと同じ財務省内のソ連工作員フランク・コーやソロモン・アドラーらとともに、対中経済支援をわざと遅延させ、蔣政権からの民心離脱に拍車をかける。戦後、ホワイトが下院非米活動委員会に召喚され、スパイであることを否定した直後、自宅で謎の死を遂げたのに対し、コーとアドラーは共産中国に渡り、当地で厚遇を受け、天寿を全うした。また、冀は中国共産党政権幹部となった。

ソ連のスパイは財務省だけではなく、政府各部に浸透しており、スターリンの影はホワイトハウスにまで及んでいた。第7章でも取り上げたホワイトと旧知のカリーは、ルーズベルトに中国問題の専門家として重用され、1941年初頭に大統領特使として重慶に派遣される。ユ教授が指摘しているように、帰国後の報告書で、カリーは蔣政権の「反動性」を批判する一方、中国共産党の「進歩的」イメージを強調する。さらに、スターリンは国共対立を純粋な内政問題とみなしており、領土的野心もなく、いずれはモンゴル（外蒙古）の支配権――当時、ソ連は中国の主権を承認しつつ、実効支配していた――も国民政府に返還するつもりだとして、ソ連の「中立性」と「善意」を称揚している。

そのうえで、カリーは国民政府の民主化を促す必要があるとして、オーウェン・ラティモアを蔣介石の政治顧問として推薦した。ラティモアは、ソ連情報機関の指示下にあったという意味では工作員でなかったにしても――ヴェノナ文書にも、ヴァシリエフ・ノートにも登場しない――スターリンの代弁者として、臆面もなくソ連の圧政や侵略を正当化するのが常であった。

縄張り争いに明け暮れる米政府

ルーズベルト大統領本人の方針に逆らい、米国側で蔣介石の足を引っ張ったのは、ソ連のスパイだけではなかった。戦前戦中の日本については、軍が統帥権を盾に政府方針を蔑ろにしたうえ、海軍と陸軍が意思疎通を行なわず、バラバラに行動したとして批判されるのが常である。

しかし、対中政策をめぐる、米国の部局間対立と縄張り争いも甚だしかった。さらに、今日まで続く、善意ではあっても自らの価値観を絶対視し、強引に押し付けようとする行動様式に、人種偏見も加わった傲慢さによって、米国の対中支援は、国民政府の基盤を強化するどころか、むしろ蔣介石の政治的威信を大きく傷つけた。

名目上、中国戦線における全権は、連合軍中国戦域総司令官である蔣介石にあった。ところが、その部下として補佐する立場にあるはずの参謀長ジョセフ・スティルウェル中将は、蔣の意向を無視し、勝手に行動しつづける。

スティルウェルに限らず、米陸軍と国民政府の関係は一貫して険悪であった。その大きな理由として、米海軍が蔣介石と良好な関係を築いていたことが挙げられる。ユ教授が指摘しているように、海軍情報機関のミルトン・マイルズ大佐は、当時の――そして、今でも――米国人としては例外的に、異文化への理解と配慮を怠らず、対中支援においても中国側の顔を立てることに腐心していた。マイルズは蔣介石の側近で情報機関「軍統」を率いる戴笠（たいりゅう）とともに、米中共同の情報機関「中美特種技術合作所」（SACO）を立ち上げ、対日戦に大きな成果を上げる。一方、英国と密接な関係にあった、CIAの前身であるOSSは、蔣政権に蛇蝎（だかつ）のごとく嫌われていた。

そして、敵の敵は味方ということで、米陸軍とOSSは中国共産党に接近する。背後で支えたのは、国務省の「チャイナ・ハンズ」と呼ばれる中国を専門とする外交官たちであった。とくに、プロテスタント宣教師の息子として中国に生まれ育ったジョン・デービスと前述のサービス（第7章参照）は、中国共産党に好意的な政策提言を繰り返し、実際の政策決定に大きな影響を与えた。彼ら自身はソ連工作員ではなかったとしても、スパイと親しかったことは事実である。サービスは重慶在任中、ソ連エージェントの財務省職員アドラーとルームメイトであり、同じ建物の二階に秘密共産党員の冀朝鼎がいた。デービスもサービスも戦後、「赤狩り」の「犠牲」となり、国務省を追われる。

中国共産党と米陸軍との不思議な「蜜月」

「チャイナ・ハンズ」は、国民政府の腐敗と非民主性を厳しく批判する一方、共産党の

「進歩的」性格を強調し、毛沢東らは共産主義者というより、中国近代化・民主化を進める「農地改革者」(agrarian reformers) だという主張を繰り広げる。

スティルウェルの副官を務めていたデービスのお膳立てで、1944年7月に陸軍・OSS主体の「ディキシー・ミッション」が、中国共産党の本拠地、延安に派遣された。共産党と米陸軍の蜜月の始まりである。米国から延安に空輸された大量の無線機器が共産党支配地域に配備されるなど、両者の協力は直ちに具体化される。

1944年8月23日、毛沢東は延安でのサービスとの会談で、米国の「間抜け」たちの「誤解」に合わせて、次のように述べている。共産党は内戦回避を熱望しており、そのためには米国の協力が不可欠である。「共産党」という名称は、米国実業界を警戒させるというサービスの発言に対しては、党の名称変更さえ示唆し、中国共産党の政策は《liberal》(米公文書の表現、現在の「リベラル」より「新自由主義」に近い) なだけで、最も保守的な実業家ですら、何ら異義を唱えないであろう、と。

なお、党名など重要性を持たず、ブルジョアジーに弾圧の口実を与えないため、各国共産主義者はソ連からの独自性を強調し、現地の実情に沿った革命戦略を取るというのは、すでに1941年4月に、スターリンからコミンテルン書記長ディミトロフに指示済みの方針であった。「名優」毛沢東は、ここでもスターリン「監督」に忠実に従ったのである。

ユ教授によれば、中国共産党と米陸軍・OSSの協力には、日本人も直接関与していた。延安在住の「オカノススム」、後の日本共産党議長野坂参三(のさかさんぞう)である。OSSには捏造(ねつぞう)と偽情報からなるブラック・プロパガンダ専門の部署があり、多くの米人ジャーナリストが参加していた。野坂はそのアドバイザーとして、日本語表現の「改善」のみならず、天皇糾弾は日本兵に対して逆効果となる点を指摘するなど、対日情報戦に貢献した。野坂はさらに日本占領地域への工作を提案し、40万ドル相当の現地通貨報酬まで要求している。

しかし、米国と共産党の蜜月は、1945年2月のヤルタ会談で終わりを告げる。ソ連対日参戦の密約をスターリンから直ちに伝えられた毛沢東は、もはや米軍に頼る必要なしとして、強硬姿勢に転換する。もちろん、最初から毛沢東には米国と本気で妥協する気はなかった。「間抜け」は利用できるだけ利用し、不要となれば切り捨てるだけである。

日米ソ合作の中国共産党王朝

日本との全面武力衝突で、軍事的には困難な状況にあったものの、米国参戦前の蔣介石は、中国ナショナリズムの象徴として、政治的には絶頂にあった。ところが、戦争が進むにつれて、米国の無軌道な介入を抑えることができない蔣介石の声望は、国内外で著しく低下していく。

とはいえ、1944年10月に、蔣介石の要求により解任されたスティルウェルの後任として、重慶に派遣されたアルバート・ウェデマイヤー少将は、カオス状態だった米国の対中政策立て直しに尽力する。米陸軍の頂点に立つジョージ・マーシャル元帥の側近ウェデマイヤーは、中国内戦のカギを握るのは米ソの動向であり、中国内戦は国共間というより、イデオロギーに基づく米ソ間のパワーゲームであるという的確な情勢分析の下、蔣と連携を図る。

しかし、そこに立ちはだかったのがマーシャルであった。ルーズベルト死後に大統領となったトルーマンは、日本降伏後、国共平和共存を図るべく、マーシャルを特使として中国に派遣する。マーシャルは中国の実情を全く理解せず、国共間の対立を、欧米のような国民国家内部における党派間の争いと同一視していた。

中国共産党が「農地改革者」などではなく、筋金入りのマルクス・レーニン主義者であり、モスクワと無線で頻繁に連絡を取り合っていることを、ウェデマイヤーの部下でソ連専門家のアイヴァン・イートン大佐が直接報告した際も、マーシャルは馬耳東風と受け流す。イートン自身も指摘しているように、マーシャルが唯一耳を傾けたのは、自らの「美しき誤解」に沿って演技する交渉相手、周恩来であった。

マーシャルの周恩来への絶対的ともいえる信頼は、ユ教授が紹介する次のエピソードに端的に示されている。1946年6月、マーシャルは満洲での和平交渉に際し、周恩来に自らの専用軍用機を提供する。そこで、周は取り返しのつかない――と思われた――失態を演じたのだ。機内に手帳を忘れたのである。そこには、スパイ工作の情報が書き込まれており、国民政府中枢に入り込んだ熊向暉の名前も記されてあった。極度の緊張のなか、中国共産党は最悪の事態に備える。ところが、南京の自宅に戻った周を待っていたのは、箱に厳重に封印された手帳を持った、マーシャルの使者であった。周は当然、マーシャルが手帳をコピーし、蔣介石に伝えたと考え、熊の脱出を手配する。しかし、共産党スパイ網の摘発は一向に行なわれず、熊はスパイ活動を継続した。後年、熊は周の側近として、ヘンリー・キッシンジャーとの対中秘密交渉に関わった。

マーシャルの仲介は、日本降伏当初、まだ軍事的に優勢だった国民党軍による共産軍攻撃を抑える一方、ソ連支援の下、日に日に勢いを増しつつあった共産軍にとっては、格好の時間稼ぎとなった。１９４７年1月、自らの「公平」な仲介が何ら成果を生まず、国共内戦が激化するなか、マーシャルは失意のうちに帰国する。

こうして、スターリンと毛沢東による世界共産革命の一環としての中国革命は、日米の多大な側面支援を得て、１９４９年10月の中華人民共和国建国に結実した。現代中国三国志の三人の「傀儡」のうち、蔣介石や汪兆銘と異なり、後援者の意図に沿って、その指示に忠実に従った毛沢東が、最終的勝者となったのだ。

しかし、対米戦争に敗れた日本にとって、蔣介石ではなく毛沢東が中国大陸の覇者となったことは、ある意味「幸運」であった。中ソ同盟という強大な反米共産主義ブロックに、日本が最前線で対峙することとなったため、米国の世界戦略における日本の位置づけは、占領初期とは根本的に変化する。当初の軍事・経済両面における徹底的弱体化政策は放棄され、東アジアにおける最重要同盟国として、日本再興が米国の基本方針となった。一方、中国民衆は、共産党の圧政、とりわけスターリン死後の毛沢東の常軌を逸した暴走で、塗炭の苦しみをなめる。

将来、共産党王朝が倒れ、新しい政権が中国に誕生すれば、今度は邪悪な共産党政権生みの親として、日本が糾弾される日が来るかもしれない。共産党政権の「抗日ファンタジー」と違って、日本が米ソとともに毛沢東の天下統一を助けたという、紛れもない事実に基づいて。

第14章　これでいいのか、日本の近現代史研究

悪意を持って語られる真実は
捏造し得るすべての嘘を打ちのめす
ウィリアム・ブレイク

日本の近現代史研究者への「ザ・クエスチョン」

ソ連崩壊後、米国を代表する左翼歴史家ジェノヴィーズは、同僚の歴史学者のみならず、左翼・リベラル知識人全体に向けて、ロシア革命後の共産主義体制・運動の実態について、「何を知っていたのか、それを知ったのはいつなのか」という「ザ・クエスチョン」を提起した。

この少年時代からソ連崩壊に至るまで、一貫して「社会主義の祖国」を支持してきた元

スターリン主義者ジェノヴィーズの真摯な問いかけは、残念ながら、米国の歴史学界ではほとんど無視されたままであることは、第8章で述べたとおりである。

翻って、日本の歴史学界の現状はどうであろうか。ここではケーススタディとして、日本を代表する近現代史研究者である加藤陽子東大教授の『それでも、日本人は「戦争」を選んだ』を取り上げる。高校生相手の講義に基づく本書は、2009年に公刊された際、各方面から絶賛され、小林秀雄賞を受賞している。引用する際は、2016年に出た文庫版の頁数を記した。なお、少なくとも引用箇所に関する限り、単行本と文庫で違いはない。

政治的・軍事的才能に溢れたトロツキー?

文庫版のあとがき（484頁）で、「過去を正確に描くことでより良き未来の創造に加担するという、歴史家の本分にだけは忠実であろうと心がけました。じっくりとお読みいただければ幸いです」とあるように、世評が高いだけでなく、加藤教授本人にとっても大変な自信作のようである。

しかし、単刀直入にいって、加藤教授の昭和史観を支えるソ連及び共産主義に関する記述は不可解の一語に尽きる。ここで「不可解」といったのは、保守知識人がしばしば指摘する加藤教授の歴史観あるいは解釈についてではなく、事実認識についてである。以下、具体的に指摘したい。

まず、今も一部インテリにカルト的人気を誇るトロツキーへの高い評価が、序章での議論展開上、重要な位置を占めている（75−76頁）。

スターリンは、第一次世界大戦やその後の反革命勢力と戦う過程での軍事的なリーダーシップを全く持たなかった人でした。トロツキーは、内戦を戦った闘将でしたし、第一次世界大戦の戦列からロシアを除くために、敵国ドイツとの単独講和にも踏み切った英雄でした。このときトロツキーは、こんなにロシアが損をしてどうする、国がなくなるぞという国内の圧迫を受けながらも、革命を成就させるためにドイツと手を打たなければと、エストニアやラトビアなどをロシア帝国から全部吐き出すのです。（中略）その結果、ロシアは戦争をやめることができ、だからこそロシア革命は成功したのです。トロツキーにはこのような政治的才能もあった。

しかし、実際のブレスト＝リトフスク条約締結すなわちドイツとの講和に至る経緯は、以下のとおりであった。

まず、ドイツとの「屈辱的」条約を速やかに締結することを主張したのはレーニンであって、当初、首席代表として現地に派遣されていたトロツキーも含め、ほとんどのボルシェビキ幹部は反対した。一方、スターリンはレーニンを支持していた。明確に条約に反対し戦争継続を主張したニコライ・ブハーリンらと異なり、一時休戦後の交渉でトロツキーはレーニンの指示に従わず、ロシア（ソ連）軍は戦闘を中止するものの条約締結には応じないという中途半端な主張を行ない、業を煮やした独墺側が進撃を開始したことで、ますます状況は悪化する。

結局、レーニンは自らの辞任すらほのめかしながら、ドイツとの講和にこぎ着ける。トロツキーとその一派は、1918年2月23日に行なわれた共産党中央委員会での最終評決でも、棄権という煮え切らない対応を行なう。評判の悪い条約締結の責任を回避しつつ、賛否拮抗のなか明確に反対しないことで、結果的にレーニンの主張を実現させ恩を売ったと解釈すれば、確かにトロツキーには「政治的才能」があった。

まさか東大の歴史学教授が最初からこんな明白な事実誤認を書くはずがないと思われる読者も多いだろう。しかし、ソ連崩壊後に出版され世評の高いロバート・サービスやドミトリー・ヴォルコゴーノフのトロツキー評伝にあたるまでもなく、トロツキーが講和に反対していた事実は、ソ連崩壊後の秘密文書公開とは関係なく、我が国でもすでに半世紀以上前に、勝田吉太郎京大助教授（のちに教授）が一般向け歴史書で記している。

「レーニンの後継者がスターリンにされたことで人類の歴史が結果的にこうむってしまった災厄」（82頁）という加藤教授の根幹となる歴史認識からすれば、講和の経緯など「些事」に過ぎないのかもしれないが。

トロツキーがレーニンの後継者だったら?

加藤教授によれば、トロツキーというレーニンの後継者にふさわしい政治的・軍事的天才の存在にもかかわらず、ナポレオンの登場とその後の欧州混乱を知るボルシェビキは、「軍事的なカリスマ性を持っていたトロツキー」が「第二のナポレオン」になることを恐れ、「グルジアから出てきた田舎者のスターリン」をレーニンの後継者に選んだとされる

（75–78頁）。

スターリンは1930年代後半から、赤軍の関係者や農業の指導者など、集団化に反対する人々を粛清したことで悪名高い人ですね。犠牲者は数百万人ともいわれる。

ソ連における粛清や大量虐殺は、スターリンが革命の理想を裏切ったからというのが加藤教授の認識である。それでは、教授によれば本来後継者であるべきだったトロツキーが指導者になっていたら、ソ連はどうなっていただろうか。

1917年の10月革命成功に大きく貢献したクロンシュタットの水兵たちは、1921年3月、今度は「労働者の前衛」たちによる帝政以上の民衆抑圧に対して反旗を翻し、立ち上がる。そのとき、国防相（陸海軍人民委員）トロツキーは、この革命の理想実現を目指した反乱に対して弾圧の先頭に立つ。トロツキーの命令の下、ミハイル・トハチェフスキーに率いられた赤軍部隊は総攻撃を開始し、死にもの狂いで抵抗する反乱軍を粉砕、その場は文字どおり血の海となった。

クロンシュタットに限らず、トロツキーは内戦においても、その後の民衆弾圧においても、その残忍さを存分に発揮する。サービスが指摘しているように、トロツキーが好んだ手法が、手続き無視の「即決処刑」(summary execution)であり、無辜の住民を人質にとって処刑することであった。

トロツキーの「軍事的なカリスマ性」というのは、自己宣伝に長けたトロツキーとその周辺が作り上げた虚像であり、その軍事的業績は必ずしも芳しいものではない。一方、「軍事的なリーダーシップを全く持たなかった」スターリンというのは、トロツキー側の言い掛かりに過ぎない。ソ連軍事史研究の泰斗エヴァン・モーズリーが指摘しているように、「もし彼[スターリン]が1920年に戦死していたとしても、内戦で最も活躍したひとりとして記憶されたに違いない」(『ロシア内戦』)。

トロツキーとトハチェフスキーという「名将」コンビの残忍さは、1921年にタンボフで起きた農民反乱における、毒ガスまで利用した鎮圧に如実に表われている。反乱鎮圧には、現地軍司令官であるトハチェフスキーとともに、全ロシア中央執行委員会(ВЦИК)の全権委員長(代表)としてトロツキー派のウラジミル・アントノフ＝オフセンコが派遣された。

「1. 指名申告を拒絶するものは裁判なし(без суда)にその場で銃殺せよ。(中略)4.

匪賊（бандит）を家に匿った家族は逮捕かつ県から追放、その財産は没収し、家族の最年長の働き手（старший работник）は裁判なしに銃殺せよ。（後略）」（6月11日、ВЦИК全権委員会命令171号）。

「1．匪賊が隠れている森を窒息性毒ガスで掃蕩せよ。雲状の窒息性ガスが森全体に完全に拡がり、そこに隠れているものすべてを絶滅するよう、正確に計算せよ。（後略）」（6月12日、軍司令部命令0116号）。

「人類の歴史が結果的にこうむってしまった災厄」はスターリン時代ではなく、革命当初レーニン時代から始まっていた。スターリンの代わりにトロツキーが権力を握ったとしても、大きな違いがあったとは思えない。むしろ、リアリストであるスターリン以上に、手加減なしに「理想」を追求したであろうトロツキーが後継者となっていれば、ロシア民衆の被害はさらに大きかったかもしれない。

そもそも、「後年『スターリニズム』と呼ばれたものの多くは、実際にはレーニンが生みだした」（アニドルー他『剣と盾』）。ただし党内同志との間では議論する余地を残したレーニンとは違い、スターリンは、民衆だけではなくボルシェビキ幹部にも同じ姿勢で臨んだ。要するに、「田舎者のスターリン」はエリートと大衆を差別せず、ある意味「民主である。

いずれにせよ、トロツキーのような大量虐殺者を英雄視することは、筆者には理解不能である。

的」に行動したわけである。

ホロドモールはただの凶作?

加藤教授のソ連・共産主義関連の不可解な記述は、事実を曲げてまでのトロツキー賛美、革命賛歌だけではない。満洲事変当時の日ソ関係について、次のような記述がある（361頁）。

ソ連もまた、［19］31年12月に、日本に対して不可侵条約締結を提議してきたほどでした。農業の集団化に際して、餓死者も出るほどの国内改革を迫られていたのが当時のソ連でしたので、いまだ日本と戦争する準備などはなかったわけです。

不可侵条約を結んでおいて侵略するのがスターリンの常套(じょうとう)手段だったことに言及がな

いのは、ひとまずよしとしよう。しかし、この記述では、当時のソ連で起こった「ホロドモール」と呼ばれる大量餓死が、スターリンによる意図的な民衆虐殺の側面を持っていたことが全くわからない。毛沢東の中国や金正日の北朝鮮でも繰り返された、「飢饉」に名を借りた共産主義者による自国民大量虐殺の原型はここにある。

1932年から1933年にかけて、ウクライナだけで人口の1割に当たる300万人が餓死した「飢饉」は、天災というより人災であり、凶作のなかで農作物を収奪するスターリンと農民との「戦争」の性格を持っていた（ロバート・コンクエスト『悲しみの収穫』）。餓死と人肉食の地獄絵図のなか、軍隊を動員して取り上げられた農作物は、外貨獲得のために輸出されるとともに、五カ年計画に基づき重工業に従事する都市労働者に優先的に配給される。

この五カ年計画は軍備増強が中心であり、満洲事変後、対日戦を意識して軍備優先がさらに加速する。来るべき資本主義国との対決に向けて、農業「集団化」という奴隷化を進め、抵抗する農民を「飢饉」を通じて絶滅することが、スターリン「国内改革」の一環だったのだ。

ホロドモールの実態は、現地で取材したイギリス人ジャーナリスト、マルコム・マゲリッジらを通じて報道されはしたものの、ソ連政府のみならず、欧米「進歩派」からも反共プロパガンダとして否定的に扱われる。その中心人物がスターリンお気に入りのニューヨーク・タイムズ記者ウォルター・デュランティであった（サリー・テイラー『スターリンの代弁者』）。

こうした共産主義者とそのシンパによるプロパガンダの成功により、20世紀最大の悲劇のひとつであるホロドモールは長い間、ユダヤ人迫害すなわちホロコーストに比べ、影の薄い存在であった。

しかし、ソ連崩壊後のウクライナ独立もあって、徐々に認識は改められつつある。フランスの著名なソ連研究者ニコラ・ヴェルトが2008年にハーバード大学で開かれた国際学術会議の基調講演で指摘したように、当時のソ連で起こった一連の事象に、欧州史で比較できるものがあるとすれば、ナチスの蛮行しかなく、「ホロドモールはジェノサイドだったかという問いへの答え、それはイエス以外ありえない」（『ホロドモールの後に』）。

戦前日本共産党は反戦平和の使徒？

日本に目を転じると、加藤教授の日本共産党への高い評価が伺える。満洲事変時に政党が戦争反対の声を挙げられなかった大きな理由のひとつとして、教授はこう記す（352−353頁）。

中国に対する日本の侵略や干渉に最も早くから反対していた日本共産党員やその周辺の人々が、1928年3月15日、一斉に検挙されるという三・一五事件が起こり（中略）戦争に反対する勢力が治安維持法違反ということで、すべて監獄に入れられてしまっていたことですね。

まるで共産党が弾圧されたので、戦時体制が強化されたかのようである。しかし、日本に限らずどこの国の共産党もソ連共産党の完全な統制下にあったという事実を抜きに、当時の共産主義運動の本質を理解することはできない。後に転向する当時の共産党最高幹部、鍋山貞親（なべやまさだちか）が後年明らかにしているように、戦争反対はソ連擁護が目的であり、コミンテルンすなわちソ連共産党の指令に従っていたに過ぎない（『私は共産党をすてた』）。

皮肉なことに、この時点でコミンテルン日本支部たる日本共産党は、組織として壊滅的打撃を受けたことが幸いし、その後の度重なるソ連対外政策の１８０度転換に右往左往し盲従する、欧米共産党が演じた茶番劇から免れることができた。１９３９年の独ソ不可侵条約から１９４１年の独ソ戦開始までの2年間、各国共産党はスターリンの周辺国侵略を支持するだけでなく、ナチス・ドイツを「擁護」し、英米仏こそ帝国主義戦争勢力だと非難していたのである。日本共産党がもし「健在」であれば、同じ方針に基づく言論活動や大衆運動を行なった（強いられた）に違いない。

一方、このような当時の日本共産党への高い評価と辻褄が合わないのが、１９３０年代の教訓として「はじめに」であげられた二つの点である（6頁）。

> 一つには（中略）当時の国民は、あくまで政党政治を通じた国内の社会民主主義的な改革（たとえば、労働者の団結権や団体交渉権を認める法律制定など、戦後、ＧＨＱによる諸改革で実現された項目を想起してください）を求めていたということで

す。二つには、民意が正当に反映されることによって政権交代が可能となるような新しい政治システムの創出を当時の国民もまた強く待望していたということです。

実際のところ、議会を通じた社会民主主義的改革に最も強硬に反対していたのが日本共産党であった。獄中でまだ転向前の鍋山は、１９３１年に公刊した論文集『社会民主主義との闘争』で、西尾末広ら反共「右翼社会民主主義者」だけではなく、山川均ら容共「左翼社会民主主義者」も労働者の敵として徹底的に攻撃している。それにしても、大弾圧を受けているはずの共産党最高幹部が獄中から論文集を出せるとは、当時の日本は意外に（？）自由だったわけである。

もちろん、反社会民主主義という方針は、日本共産党独自のものではない。当時、ソ連共産党とその支配下にあるコミンテルンは、社会民主主義勢力を革命の主敵とみなす「社会ファシズム論」を唱えていた。共産主義社会に至る歴史の進展を遅らせる改革は、労働者階級への裏切りというわけである。

鍋山によれば、「我々労働者と農民は、議会以外大衆行動にのみ、自己の利益を擁護し又自己を解放する手段と手法とをもとめ（中略）議会行動を議会外大衆行動に従属せしめ、議会を大衆行動の支持点として利用するためにのみ、これに参加するのだ」。

　共産主義者の意図が、この大衆行動を最終的に暴力革命に導くことにあったのは、コミンテルンが1932年に発表した「日本における情勢と日本共産党の任務に関するテーゼ」にも如実に表れている。

　この日本共産党の絶対的指針となった「32年テーゼ」は、「革命運動に最も危険なのは…左翼民主主義」であって、「社会ファシズムのブルジョア的本質を暴露」し、共産党は「大衆の間に議会主義的幻想を培うような政治的部分的要求を掲げてはならない」としたうえで、こう結論づける。「労働者農民の革命的大衆闘争は、革命的危機の昂揚をもたらすであろう。そしてその下で天皇制は絶滅的な打撃を受け、労働者農民のソヴェートは樹立され、その旗の下に日本共産党は労働者階級および一切の勤労者を、最後の勝利に導くであろう」。

　共産党員大検挙があった1928年、コミンテルンは各国共産党員向けに武装蜂起の指南書を出版する（第5章参照）。当時の日本共産党は現在とは違い、ソ連共産党（政府）に隷属するテロ集団であった。各国共産党がスターリンの指示に基づき、それまで敵対していた社会民主主義者や自由主義者との連携に舵を切ったのは、1933年のナチスによるドイツでの政権掌握以降であり、この人民戦線路線も、前述のとおり、1939年の独ソ不可侵条約によって終焉を迎える。

さらに忘れてはならないのは、共産主義運動イコール共産党ではないことである。共産党組織壊滅後もマルクス主義関連の文献は書店に溢(あふ)れ、文部省肝いりで学生思想「善導」の中心となったのが、「社会思想に於て社会主義を採り、社会思想実現の方法として言論自由主義と議会主義とを採る」と自認する反共社会民主主義者、河合栄治郎(かわいえいじろう)と蠟山政道(ろうやままさみち)というふたりの東大教授であった(『学生思想問題』)。

しかし、そうした努力もむなしく、表の組織が解体されても、裏のソ連スパイ網はその後も着々と構築され、尾崎秀美に代表されるように、ソ連と一体となった共産主義勢力は我が国の指導層に深く浸透する。中国及び米国との戦争を実現するうえで果たした大きな役割を考えれば、共産主義者こそ日本では最大の戦争推進勢力だったともいえる。

「美しい」物語を否定する「醜い」事実

昭和初期日本の歩みを反戦進歩勢力が好戦反動勢力に屈する過程と捉える加藤教授にとって、スターリンに裏切られたとはいえ、レーニンとトロツキーが主導したロシア革命の素晴らしい理想、日本でその理想実現に献身した進歩的勢力最左派としての日本共産党という「物語」は、自らの歴史記述になくてはならない要素なのであろう。

共産主義運動がもたらした惨禍は、スターリンによる「裏切り」によってではなく、ロシア革命当初から一貫したものであったということは、ソ連崩壊後の秘密文書公開等で、今や否定できない事実として我々に突き付けられている。だからこそ、「何を知っていたのか、それを知ったのはいつなのか」というジェノヴィーズの「ザ・クエスチョン」は、過去形（did you know?）での問いかけとなっている。

しかしながら、加藤教授には現在形（do you know?）で問いかける必要があるようだ。教授の事実認識は、せいぜい、スターリンにすべての責任を押し付けた1956年のフルシチョフによるスターリン批判の段階にとどまっている。ここで筆者が指摘した論点はすべて、『それでも、日本人は「戦争」を選んだ』が最初に出版された2009年の時点で、すでに明らかになっていたにもかかわらず。

それにしても教授は本当に知らないのであろうか。それとも、すべて承知のうえで、「美しい」物語を守るため、「醜い」事実を犠牲にせざるをえなかったのだろうか。加藤教授に限らず、日本の近現代史研究者の世界というのはそういうところなのだろうか。

石堂清倫他編（1961）『コミンテルン日本に関するテーゼ集』（青木書店）

勝田吉太郎（1962）「ソ連の発展」『世界の歴史　第16巻　大戦間時代』（筑摩書房）

加藤陽子（2016［2009］））『それでも、日本人は「戦争」を選んだ』（新潮社）

河合栄治郎・蠟山政道（1932）『学生思想問題』（岩波書店）

鍋山貞親（1930）『社会民主主義との闘争』（希望閣）

鍋山貞親（1949）『私は共産党をすてた　自由と祖国を求めて』（大東出版社）

R. Conquest (1986) *The Harvest of Sorrow: Soviet Collectivization and the Terror-Famine* (Oxford UP). ［白石治朗訳『悲しみの収穫』（恵雅堂）］

E. Mawdsley (2005) *The Russian Civil War* (Pegasus Books). ［『ロシア内戦』未邦訳］

R. Service (2009) *Trotsky A Biography* (Harvard UP). ［山形浩生他訳『トロツキー』白水社］

S. J. Taylor (1990) *Stalin's Apologist* : *Walter Duranty, the New York Tmes's Man in Moscow.* ［『スターリンの代弁者』未邦訳］

N. Werth (2013) Keynote Address for the Holodomor Conference, in A. Graziosi et al. (eds.) *After the Holodomor: The Enduring Impact of the Great Famine on Ukraine* (Harvard UP). ［『ホロドモールの後に』未邦訳］

Diplomatic Papers 1944, Vol. 2: China (Government Printing Office, 1967). [『米公文書』未邦訳]

1964年7月10日会談

「接見日本社会党人士佐佐木更三、黒田寿男、細迫兼光等的談話」『毛沢東思想万歳』(小倉編集企画、1974 [1969]) [東京大学近代中国史研究会訳『毛澤東思想万歳(下)』(三一書房)]

サンケイ新聞社 (1985 [1975-1977])『蔣介石秘録 (改訂特装版、下巻)』(サンケイ出版)

中村菊男 (1969)『昭和海軍秘史』(番町書房)

陸軍省 (1936)『昭和十一年版　帝国及列国の陸軍』(陸軍省)

陸軍省新聞班 (1935)『転換期の国際情勢と我が日本』(陸軍省)

M. E. Miles (1967) *A Different Kind of War: The Little-Known Story of the Combined Guerrilla Forces Created in China by the U.S. Navy and the Chinese during World War II* (Doubleday). [『別種の戦争』未邦訳]

M. M. Sheng (1997) *Battling Western Imperialism: Mao, Stalin, and the United States* (Princeton UP). [『西洋帝国主義とのたたかい』未邦訳]

M. Yu (2011 [1996]) *OSS in China: Prelude to Cold War* (Naval Institute Press). [『中国における OSS』未邦訳]

M. Yu (2006) *The Dragon's War: Allied Operations and the Fate of China, 1937-1947* (Naval Institute Press). [『竜の戦争』未邦訳]

В. И. Чуйков (1983) *Миссия в Китае* (Воениздат). [『中国でのミッション』未邦訳]

第14章

タンボフ反乱鎮圧関係資料ホームページ

https://www.tstu.ru/win/kultur/other/antonov/raz.htm (198・199)

の思想と行動（増補版）』（未來社）所収

J. W. Falter (1991) *Hitlers Wähler* (Beck). [『ヒトラーを選んだ人々』未邦訳]

E. Fromm (1941) *Escape from Freedom* (Farrar & Rinehart). [日高六郎訳『自由からの逃走』（東京創元社）]

T. Geiger (1930) Panik im Mittelstand, *Die Arbeit* 7 (10): 637-654.

T. Geiger (1967 [1932]) *Die Soziale Schichtung des Deutschen Volkes: Soziographischer Versuch auf Statistischer Grundlage* (Wissenschaftliche Buchgesellschaft). [『ドイツ国民の社会階層』未邦訳]

R. F. Hamilton (1982) *Who Voted for Hitler* (Princeton UP). [『誰がヒトラーに投票したか』未邦訳]

H. D. Lasswell (1933) The Psychology of Hitlerism, *Political Quarterly* 4 (3): 373-384.

M. Lerner (1969) Respectable Bigotry, *American Scholar* 38 (4): 606-617.

K. Marx und F. Engels (2005 [1848]) *Manifest der Kommunistischen Partei* (Fischer). [大内兵衛他訳『共産党宣言』、『マルクス－エンゲルス全集第4巻』（大月書店）所収]

D. Mühlberger (2003) *The Social Bases of Nazism, 1919-1933* (Cambridge UP). [『ナチズムの社会的基盤』未邦訳]

第11～13章

毛沢東

1939年9月1日インタビュー

Мао Цзе-дун (1939), О Международном Положении и Освободительной Войне в Китае, *Коммунистический Интернационал* 8-9: 95-99. [『共産主義インターナショナル』]

1944年8月23日会談

No. 3018, Report No. 15, *Foreign Relations of the United States,*

Men's Attitudes (Vintage Books).［上記『プロパガンダ』英語版序文］

H. Kelsen (1981［1929］) *Vom Wesen und Wert der Demokratie, Zweite Auflage* (Scientia).［長尾龍一他訳『民主主義の本質と価値』（岩波書店）］

S. M. Lipset (1963［1960］) *Political Man: The Social Bases of Politics* (Doubleday).［内山秀夫訳『政治のなかの人間』（東京創元新社）］

A. Peyrefitte (1994) *C'Était de Gaulle* (Fayard).［『それがド・ゴールだった』未邦訳］

R. D. Putnam (2007) E Pluribus Unum: Diversity and Community in the Twenty-first Century (The 2006 Johan Skytte Prize Lecture), *Scandinavian Political Studies* 30 (2): 137-174.

J. A. Schumpeter (1975［1942］) *Capitalism, Socialism and Democracy* (Harper Perennial).「中山伊知郎他訳『資本主義・社会主義・民主主義』（東洋経済新報社）」

D. Sikkink and M. O. Emerson (2008) School Choice and Racial Segregation in US Schools: The Role of Parents' Education, *Ethnic and Racial Studies* 31 (2): 267-293.

I. Somin (2013) *Democracy and Political Ignorance: Why Smaller Government Is Smarter* (Stanford Law Books).［森村進訳『民主主義と政治的無知』（信山社出版）］

第10章

西義之（1975）『誰がファシストか』（ごま書房）

堀真琴（1933）『現代独裁政治論』（日本評論社）

堀真琴（1935）「ドイツ中間層の社会的地位、その運動及びイデオロギー」『吉野作造先生追悼記念　政治及政治史研究』（岩波書店）所収

丸山真男（1964［1957］）「日本ファシズムの思想と運動」『現代政治

B. Steil (2013) *The Battle of Bretton Woods: John Maynard Keynes, Harry Dexter White, and the Making of a New World Order* (Princeton UP). ［小坂恵理訳『ブレトンウッズの闘い』（日本経済新聞出版社）］

A. Weinstein and A. Vassiliev (1999) *The Haunted Wood* (Radom House). ［『とりつかれた森』未邦訳］

В. Павлов (1996) *Операция «Снег»* (Гея). ［『「雪」作戦』未邦訳］

第９章

仏国民連合（大統領選挙公約）ホームページ
https://rassemblementnational.fr/le-projet-de-marine-le-pen/

西村清彦（2012)「ユーロ圏危機から何を学ぶべきか？―規制改革の視点を踏まえて―」（日本銀行副総裁 2012 年 3 月 5 日講演）

G. Borjas (2013) Immigration and the American Worker: A Review of the Academic Literature, Center for Immigration Studies: http://cis.org/immigration-and-the-american-worker-review-academic-literature

J. Ellul (1990 ［1962］) *Propagandes* (Economica). ［『プロパガンダ』未邦訳］

R. F. Hamilton (1975) *Restraining Myths: Critical Studies of U.S. Social Structure and Politics* (Halsted Press). ［『抑制する神話』未邦訳］

R. F. Hamilton (2001) *Mass Society, Pluralism, and Bureaucracy: Explication, Assessment, and Commentary* (Praeger). ［『大衆社会、多元主義及び官僚制』未邦訳］

House of Lords, Select Committee on Economic Affairs (2008) *The Economic Impact of Immigration* (Stationery Office). ［『移民の経済効果』未邦訳］

K. Kellen (1965) Introduction to J. Ellul, *Propaganda: The Formation of*

The KGB and the Battle for the Third World (Basic Books). [『世界は思いのまま』未邦訳]

J. M. Boughton (2013) Dirtying White, *Nation* June 24/July 1: 42-44.

R. B. Craig (2004) *Treasonable Doubt: The Harry Dexter White Spy Case* (UP of Kansas). [『反逆の疑い』未邦訳]

R. B. Craig (2012) Setting the Record Straight: Harry Dexter White and Soviet Espionage, *History News Network*: http://historynewsnetwork.org/article/145913

J. M. Faragher et al. (2003) *Out of Many: A History of the American People, Fourth Edition* (Prentice Hall). [『多くの中から』(第4版) 未邦訳]

J. M. Faragher et al. (2015) *Out of Many: A History of the American People, Eighth Edition* (Pearson). [『多くの中から』(最新版) 未邦訳]

E. D. Genovese (1994) The Question, *Dissent* 41 (3): 371-376.

J. E. Haynes, H. Klehr and A. Vassiliev (2009) *Spies: The Rise and Fall of the KGB in America* (Yale UP). [『スパイたち』未邦訳]

J. E. Haynes and H. Klehr (2013) Washing White: The Nation Persists in Espionage Denial, *Washington Decoded*: http://www.washingtondecoded.com/site/2013/08/white.html

R. D. G. Kelley (2000) Interview of Herbert Aptheker, *Journal of American History* 87 (1): 151-167.

H. Klehr (2004) Distorting the Past, *Academic Questions* 17 (3): 15-20.

H. Klehr and J. E. Haynes (2009) Revising Revisionism: A New Look at American Communism, *Academic Questions* 22 (4): 452-462.

J. Koster (2012) *Operation Snow: How a Soviet Mole in FDR's White House Triggered Pearl Harbor* (Regnery). [『雪作戦』未邦訳]

E. Schrecker (1998) *Many Are the Crimes: McCarthyism in America* (Princeton UP). [『多くが罪』未邦訳]

事件』未邦訳]
R. Pipes (1998 [1996]) *The Unknown Lenin: From the Secret Archive* (Yale UP). [『知られざるレーニン』未邦訳]
R. G. Powers (1998 [1996]) *Not Without Honor: The History of American Anticommunism* (Yale UP). [『名誉なきにあらず』未邦訳]
R. Radosh and J. Milton (1997 [1983]) *The Rosenberg File, Second Edition* (Yale UP). [『ローゼンバーグ・ファイル』未邦訳]
N. West (1999) *Venona: The Greatest Secret of the Cold War* (Harper Collins). [『ヴェノナ：冷戦最大の秘密』未邦訳]
V. Zubok and C. Pleshakov (1996) *Inside the Kremlin's Cold War: From Stalin to Khrushchev* (Harvard UP). [『クレムリンの冷戦の内側』未邦訳]

本章の元となった拙稿
福井義高 (2006)「東京裁判史観を痛打する「ヴェノナ」のインパクト」『正論』5月号 (通巻410号) 88-99頁

第8章

ウィルソン・センター「ヴァシリエフ・ノート」ホームページ
http://digitalarchive.wilsoncenter.org/collection/86/vassiliev-notebooks

佐々木太郎 (2016)『革命のインテリジェンス：ソ連の対外政治工作としての「影響力」工作』(勁草書房)
須藤眞志 (1999)『ハル・ノートを書いた男―日米開戦外交と「雪」作戦』(文藝春秋)
C. Andrew and V. Mitrokhin (1999) *The Sword and the Shield: The Mitrokhin Archive and the Secret History of the KGB* (Basic Books). [『剣と盾』未邦訳]
C. Andrew and V. Mitrokhin (2005) *The World Was Going Our Way:*

主義とファシズム』未邦訳]

F. Furet und E. Nolte (1998) »*Feindliche Nähe*« *Kommunismus und Faschismus im 20. Jahrhundert: Ein Briefwechsel* (Herbig). [『敵対的近親関係』未邦訳]

J. Kovel (1994) *Red Hunting in the Promised Land: Anticommunism and the Making of America* (Basic Books). [『約束された国における赤狩り』未邦訳]

A. M. Schlesinger (1946) The U.S. Communist Party, *Life* July 29: 84-96.

第7章

NSA「ヴェノナ文書」ホームページ

https://www.nsa.gov/news-features/declassified-documents/venona/

伊藤隆 (2001)『日本の近代16：日本の内と外』(中央公論新社)。

坂本多加雄 (2001)『求められる国家』(小学館)

R. L. Benson and M. Warner editors (1996) *Venona: Soviet Espionage and the American Response, 1939-1957* (NSA and CIA). [「ヴェノナ解説書」未邦訳]

J. L. Gaddis (1997) *We Now Know: Rethinking Cold War History* (Oxford UP). [赤木完爾他訳『歴史としての冷戦』(慶應義塾大学出版会)]

S. N. Goncharov, J. W. Lewis and Xue Litai (1993) *Uncertain Partners: Stalin, Mao, and the Korean War* (Stanford UP). [『不確かなパートナー』未邦訳]

J. E. Haynes and H. Klehr (1999) *Venona: Decoding Soviet Espionage in America* (Yale UP). [中西輝政監訳『ヴェノナ』(PHP研究所)]

H. Klehr and R. Radosh (1996) *The Amerasia Spy Case: Prelude to McCarthyism* (U. of North Carolina Press). [『アメラジア・スパイ

The Journal of Slavic Military Studies 24 (2): 238-252.

H. Kuromiya (2011) The Mystery of Nomonhan, 1939, *The Journal of Slavic Military Studies* 24 (4): 659-677.

H. Kuromiya (2016) The Battle of Lake Khasan Reconsidered, *The Journal of Slavic Military Studies* 29 (1): 99-109.

H. Kuromiya and Georges Mamoulia (2016) *The Eurasian Triangle: Russia, the Caucasus and Japan, 1904-1945* (De Gruyter). [『ユーラシア・トライアングル』未邦訳]

H. Kuromiya and A. Pepłoński (2012) Kōzō Izumi and the Soviet Breach of Imperial Japanese Diplomatic Codes, *Intelligence and National Security* 28 (6): 769-784.

A. Neuberg (1971 [1928]) *Der Bewaffnete Aufstand* (Europäische Verlagsanstalt). [『武装蜂起』未邦訳]

D. R. Stone (2000) *Hammer and Rifle: The Militarization of the Soviet Union, 1926-1933.* (UP of Kansas). [『ハンマーとライフル』未邦訳]

Комиссия ЦК ВКП (б) (1938) *История Всесоюзной Коммунистической Партии (Большевиков). Краткий Курс* (ОГИЗ). [マルクス－レーニン主義研究所訳『ソ同盟共産党（ボ）小史』(国民文庫社)]

第6章

香西秀信 (2002)『「論理戦」に勝つ技術　ビジネス「護心術」のすすめ』(PHP研究所) [『レトリックと詭弁―禁断の議論術講座』として、筑摩書房より2010年再刊]

M. E. Brown et al. (1993) *New Studies in the Politics and Culture of U.S. Communism* (Monthly Review Press). [『米国共産主義の政治と文化の新研究』未邦訳]

A. de Benoist (1998) *Communisme et Nazisme: 25 Réflexions sur le Totalitaeisme au XX]e Siècle (1917-1989)* (Le Labyrinthe). [『共産

G. Hilger and A. G. Meyer (1953) *The Incompatible Allies: A Memoir-History of German-Soviet Relations 1918-1941* (Macmillan). [『相いれない同盟国』未邦訳]

1939年9月7日発言

Georgi Dimitroff (2000) *Tagebücher: 1933-1943* (Aufbau-Verlag). (『ディミトロフ日記』未邦訳)

Ф.И.Фирсов (1992) Архив Коминтерна и Внешная Политка СССР в 1939-1941 гг., *Новая и Новейшая История* 6:12-35.

1939年3月20日付ティッペルスキルヒ報告

Nr. 51, *Akten zur Deutschen Auswärtigen Politik, 1918-1945. Serie D (1937-1945), Band VI: Die Letzten Monate vor Kriegsausbruch* (Imprimerie Nationale, 1956). [『独公文書』未邦訳]

1939年8月19日モロトフ・シューレンブルク会談

Nr. 132, *Akten zur Deutschen Auswärtigen Politik, 1918-1945. Serie D (1937-1945), Band VII: Die Letzten Wochen vor Kriegsausbruch* (Imprimerie Nationale, 1956).

加藤康男 (2011)『謎解き「張作霖爆殺事件」』(PHP新書)

三田村武夫 (1950)『戦争と共産主義』(民主制度普及会) [『大東亜戦争とスターリンの謀略』と改題して、自由社より1987年再刊]

J. A. Getty and O. V. Naumov (1999) *The Road to Terror: Stalin and the Self-Destruction of the Bolsheviks, 1932-1939* (Yale UP). [川上洸・萩原直訳『大粛清への道』(大月書店)]

H. Kuromiya (2005) *Stalin* (Pearson/Longman). [『スターリン』未邦訳]

H. Kuromiya (2007) *The Voices of the Dead: Stalin's Great Terror in the 1930s* (Yale UP). [『死者の声』未邦訳]

H. Kuromiya (2011) Stalin's Great Terror and International Espionage,

(РОССПЭН, 2001).

1932年7月2日（より以前）指示

№. 170, *Сталин и Каганович Переписка, 1931-1936 гг.* (РОССПЭН, 2001).

1937年11月18日会談

№. 121, *Русско-Китайские Отношения в XX Веке, Том IV: Советско-Китайские Отношения, 1937-1945 гг., Книга 1: 1937-1944 гг.* (2000, Памятники исторической мысли). [『20世紀露中関係第4巻：ソ中関係1937-1945年、第1分冊：1937-1944年』未邦訳]

1939年7月9日会談

『中華民国重要資料初編—対日抗戦時期　第三編　戦時外交（二）』（中国国民党中央委員会党史委員会、1981年）。[未邦訳]

1938年2月7日会談

№. 158, *Русско-Китайские Отношения в XX Веке, Том IV: Советско-Китайские Отношения, 1937-1945 гг., Книга 1: 1937-1944 гг.* (Памятники исторической мысли, 2000).

『中華民国重要資料初編—対日抗戦時期　第三編　戦時外交（二）』（中国国民党中央委員会党史委員会、1981年）

1938年10月1日演説

И. В. Сталин о «Кратком Курсе Истории ВКП (б)», *Исторический Архив* 5:5-31 (1994).

1939年3月10日演説

I. V. Stalin Works, Vol. 1 [XIV]: 1934-1940 (Hoover Institution, 1967). [『スターリン著作集第1巻』（非公式全集第14巻）フーバー研究所、未邦訳]

1937年3月3日演説

I. V. Stalin Works, Vol. 1 [XIV]: 1934-1940 (Hoover Institution, 1967).

1939年8月24日以降会話

スの夢』(講談社)
名越二荒之助編 (2000)『世界に開かれた昭和の戦争記念館　第4巻』(展転社)
S. Bose (2011) *His Majesty's Opponent: Subhas Chandra Bose and India's Struggle against Empire* (Belknap Press of Harvard UP). [『国王陛下の敵』未邦訳]

第5章

ウラジミル・レーニン
1920年12月6日演説
Собрание Актива Московской Организации РКП (б), 6 Декабря 1920 г., *Полное Собрание Сочинений, Том 5* (Политиздáт, 1970). [「ロシア共産党(ボ)モスクワ組織の活動分子の会合での演説」『レーニン全集第31巻』マルクス－レーニン主義研究所訳(大月書店)]
ヨシフ・スターリン(本文引用順)
1925年1月19日演説
Речь на Пленуме ЦК РКП (б), 19 Января 1925 г., *Сочинения, Том 7* (Госполитиздат, 1952). [「ロシア共産党(ボ)中央委員会総会での演説」『スターリン全集第7巻』スターリン全集刊行会訳(大月書店)]
1932年6月12日(より以前)指示
№ 117, *Сталин и Каганович Переписка, 1931-1936 гг.* (РОССПЭН, 2001). [『スターリン・カガノヴィッチ書簡集』未邦訳)
1932年6月20日指示
№ 140, *Сталин и Каганович Переписка, 1931-1936 гг.* (РОССПЭН, 2001).
1933年10月21日指示
№ 411, *Сталин и Каганович Переписка, 1931-1936 гг.*

Kaiserlichen Deutschland 1914/18 (Droste)［村瀬興雄監訳『世界強国への道』(岩波書店)］

P. Knightley (2004［1975］) *The First Casualty: The War Correspondent as Hero and Myth-Maker from the Crimea to Iraq* (Johns Hopkins UP).［芳地昌三訳『戦争報道の内幕』(時事通信社)］

H. D. Lasswell (1971［1927］) *Propaganda Technique in World War I* (MIT Press).［小松孝彰訳『宣伝技術と欧洲大戦』(高山書院)］

T. E. Mahl (1998) *Desperate Deception: British Covert Operations in the United States, 1934-44* (Brassey's).［『死にもの狂いの偽計』未邦訳］

J. Milton (1909［1644］) *Areopagitica, The Harvard Classics, Vol. 3* (P. F. Collier).［原田純訳『言論・出版の自由―アレオパジティカ』(岩波書店)］

G. Morgenstern (1947) *Pearl Harbor: The Story of the Secret War* (Devin-Adair).［渡邉明訳『真珠湾』(錦正社)］

N. Rankin (2008) *Churchill's Wizards: The British Genius for Deception 1914-1945* (Faber and Faber).［『チャーチルの魔法使いたち』未邦訳］

Rockefeller Foundation (1947) *Annual Report 1946.*［『ロックフェラー財団1946年年次報告書』未邦訳］

第４章

マハトマ・ガンジー

1947年2月25日発言

18. Talk with Deb Nath Das, *The Collected Works of Mahatma Gandhi, Vol. 87* (Publications Division Government of India, 1983).［『ガンジー全集』未邦訳］

藤原岩市（1966）『F機関』（原書房）［バジリコより2012年再刊］

国塚一乗（1995）『インパールを越えて―F機関とチャンドラ・ボー

第３章

三島由紀夫（1967）『葉隠入門』（光文社）

T. A. Bailey（1948）*The Man in the Street: The Impact of American Public Opinion on Foreign Policy* (Macmillan).［『市井の人々』未邦訳］

H. E. Barnes（1972［1928］）*In Quest of Truth and Justice: De-Bunking the War-Guilt Myth* (Ralph Myles).［『真理と正義を求めて』未邦訳］

C. A. Beard（2003［1948］）*President Roosevelt and the Coming of the War, 1941* (Transaction).［開米潤監訳『ルーズベルトの責任』（藤原書店）］

C. A. Beard and M. R. Beard（1930［1927］）*The Rise of American Civilization* (Macmillan).［『米国文明の興隆』未邦訳］

S. F. Bemis（1947）First Gun of a Revisionist Historiography for the Second World War, *The Journal of Modern History* 19 (1): 55-59.

J. Bryce（1921）*Modern Democracies* (Macmillan).［松山武訳『近代民主政治』（岩波書店）］

J. Bryce et al.（1915）*Report of the Committee on Alleged German Outrages appointed by His Majesty's government and presided over by the Right Hon. Viscount Bryce* (His Majesty's Stationery Office).［『ブライス報告』未邦訳］

C. Clark（2012）*The Sleepwalkers: How Europe Went to War in 1914* (Allen Lane).［『夢遊病者たち』（みすず書房）］

S. B. Fay（1920/1921）New Light on the Origins of the War, I, II, III, *The American Historical Review* 25 (4): 616-639; 26 (1): 37-53; 26 (2): 225-254.

S. B. Fay（1966［1928］）*The Origins of the World War* (Free Press).［『世界大戦の起源』未邦訳］

F. Fischer（1961）*Griff nach der Weltmacht: Die Kriegszielpolitik des*

主な参照文献

第1章

田岡良一編著（1957）『国際法国際政治事典』（青林書院）

S. Curtois et al.（1997）*Le Livre Noir du Communisme: Crimes, Terreur et Répression* (Robert Laffont).［外川継男訳『共産主義黒書：ソ連篇』、高橋武智訳『同：コミンテルン・アジア篇』（恵雅堂出版）、『ソ連篇』は2016年再刊、『アジア篇』は2017年再刊（いずれも筑摩書房より)］

J. R. Lilly（2007）*Taken by Force: Rape and American GIs in Europe during World War II* (Palgrave Macmillan).［『力ずくで』未邦訳］

G. MacDonogh（2007）*After the Reich: The Brutal History of the Allied Occupation* (Basic Books).［『ドイツ崩壊後』未邦訳］

第2章

FBI（ヘイトクライム）ホームページ
https://www.fbi.gov/about-us/investigate/civilrights/hate_crimes

N. Chomsky（2010）Final Remarks, Istanbul Conference on Freedom of Speech, Chomsky.Info: https://chomsky.info/20101010/

P. E. Gottfried（2005）*The Strange Death of Marxism: The European Left in the New Millennium* (U. of Missouri Press).［『マルクス主義の奇妙な死』未邦訳］

B. Lewis（2012）*Notes on a Century: Reflections of a Middle East Historian* (Penguin).［『ひとつの世紀に関するノート』未邦訳］

J. Waldron（2012）*The Harm in Hate Speech* (Harvard UP).［谷澤正嗣・川岸令和訳『ヘイトスピーチという危害』（みすず書房)］

А. И. Солженицын（2001/2002）*Двести Лет Вместе* (Русский путь).［『ユダヤ人とともに二百年』未邦訳］

本書は、２０１６年7月、小社から単行本で刊行された
『日本人が知らない最先端の「世界史」』を文庫化したものです。

一〇〇字書評

切り取り線

購買動機（新聞、雑誌名を記入するか、あるいは○をつけてください）	
□（　　　　　　　　　　　）の広告を見て	
□（　　　　　　　　　　　）の書評を見て	
□ 知人のすすめで	□ タイトルに惹かれて
□ カバーがよかったから	□ 内容が面白そうだから
□ 好きな作家だから	□ 好きな分野の本だから

●最近、最も感銘を受けた作品名をお書きください

●あなたのお好きな作家名をお書きください

●その他、ご要望がありましたらお書きください

住所	〒				
氏名		職業		年齢	
新刊情報等のパソコンメール配信を 希望する・しない	Eメール	※携帯には配信できません			

あなたにお願い

この本の感想を、編集部までお寄せいただけたらありがたく存じます。今後の企画の参考にさせていただきます。Eメールでも結構です。

いただいた「一〇〇字書評」は、新聞・雑誌等に紹介させていただくことがあります。その場合はお礼として特製図書カードを差し上げます。

前ページの原稿用紙に書評をお書きの上、切り取り、左記までお送り下さい。宛先の住所は不要です。

なお、ご記入いただいたお名前、ご住所等は、書評紹介の事前了解、謝礼のお届けのためだけに利用し、そのほかの目的のために利用することはありません。

〒一〇一－八七〇一
祥伝社黄金文庫編集長　萩原貞臣
☎〇三（三二六五）二〇八四
ohgon@shodensha.co.jp

祥伝社ホームページの「ブックレビュー」からも、書けるようになりました。
www.shodensha.co.jp/bookreview

祥伝社黄金文庫

日本人が知らない最先端の「世界史」

令和 2 年 8 月 20 日　初版第 1 刷発行
令和 5 年 2 月 15 日　　　第 2 刷発行

著　者　福井義高

発行者　辻　浩明

発行所　祥伝社

〒101－8701
東京都千代田区神田神保町 3－3
電話　03（3265）2084（編集部）
電話　03（3265）2081（販売部）
電話　03（3265）3622（業務部）
www.shodensha.co.jp

印刷所　萩原印刷

製本所　ナショナル製本

Printed in Japan　© 2020, Yoshitaka Fukui　ISBN978-4-396-31786-7 C0120

祥伝社黄金文庫

渡部昇一
日本史から見た日本人・古代編
「日本らしさ」の源流
日本人は古来、和歌の前に平等だった……批評史上の一大事件となった渡部史観による日本人論の傑作！

渡部昇一
日本史から見た日本人・鎌倉編
「日本型」行動原理の確立
日本史の鎌倉時代的な現われ方は、昭和・平成の御代(みよ)にも脈々と続いている。日本人の本質はそこにある。

渡部昇一
東條英機　歴史の証言
東京裁判宣誓供述書を読みとく
日本はなぜ、戦争をしなければならなかったのか？——日本人が知っておくべき本当の「昭和史」。

井沢元彦
歴史の嘘と真実
誤解だらけの「正義」と「常識」
語られざる日本史の裏面を暴き、現代の病巣を明らかにする会心の一冊。井沢史観の原点がここに！

井沢元彦
誰が歴史を歪(ゆが)めたか
日本史の嘘と真実
教科書にはけっして書かれない日本史の実像と、歴史の盲点に迫る！　著名言論人と著者との白熱の対談集。

井沢元彦
誰が歴史を糺(ただ)すのか
追究・日本史の真実
梅原猛(うめはらたけし)・渡部昇一(わたなべしょういち)・猪瀬直樹(いのせなおき)……各界の第一人者と日本の歴史を見直す、白熱・興奮の徹底討論！

祥伝社黄金文庫

出口治明
仕事に効く教養としての「世界史」
先人に学べ、そして歴史を自分の武器とせよ。人類五〇〇〇年史から現代を読む解く10の視点とは?

茂木　誠
世界史で学べ！　地政学
地政学を使えば、世界の歴史と国際状況の今がスパッ!とよくわかる。世界を9ブロックに分けて解説。

茂木　誠
日本人の武器としての世界史講座
近隣諸国との関係、紛争が続く中東、崩れゆく欧米……ネットの情報は玉石混交。正しい知識を武器にしよう!

神野正史
「覇権」で読み解けば世界史がわかる
アメリカ衰退後の世界は? パンデミック後の覇者は? 転換期こそ歴史に学べ! 世界史を動かす38の歴史法則。

齋藤　孝
齋藤孝の　ざっくり！　世界史
歴史を突き動かす「5つのパワー」とは
5つのパワーと人間の感情をテーマに世界史を流れでとらえると、本当の面白さが見えてきます。

齋藤　孝
齋藤孝の　ざっくり！　日本史
「すごいよ!ポイント」で本当の面白さが見えてくる
歴史の「流れ」「つながり」がわかれば、こんなに面白い! 「文脈力」で読みとく日本の歴史。